GLI SPECCHI DELLA MEMORIA
a cura di Frediano Sessi

Edith Bruck

Signora Auschwitz

Il dono della parola

Marsilio

ISBN 88-317-7058-6

a Ariel, Daniel e Lisa

SIGNORA AUSCHWITZ

L'oblio porta all'esilio,
nella memoria è il segreto
della redenzione.

BAAL SHEM TOV

Da bambina mia madre attendeva il postino giorno dopo giorno come fosse il Messia, e io con lei; notizie da parenti sparsi per l'Europa orientale. O magari l'avviso di un bel pacco dono di vestiti smessi dai cugini mai conosciuti e lettere delle mie sorelle maggiori da Budapest, città per me di una lontananza inimmaginabile dal mio villaggio: una sorta di Sodoma e Gomorra peccaminosa e splendente di luci e colori dove sarei andata anch'io da grande in cerca di futuro. Con ogni messaggio, buono o cattivo che portasse, l'omino dall'aria più logora della sua borsa, quasi del tutto vuota, veniva accolto da viandante nella nostra povera casa e gli si offriva sempre qualcosa da bere e da mangiare.

Oggi le notizie di tutto il mondo ci annichiliscono. L'anonimo postino è diventato il nemico che ci affoga di carte da buttare. Ogni tanto qualche lettera sperduta, spedita da un mittente apparentemente sconosciuto e tuttavia ansioso di una risposta impegnativa. Come la liceale di Pescara che chiamerò Laura:

«Durante l'incontro con lei non le ho rivolto domande, anche se ne avevo tante in mente. Quel gior-

9

no ho preferito ascoltarla, *attonita*, piangere magari di fronte a certe sue affermazioni, a certi suoi ricordi, ed è proprio per questo che le scrivo. Mi spiego: sono stanca del mio animo giovanile che come niente si entusiasma, si adira, si sdegna di fronte a orrori come Auschwitz, si schiera pronto alla battaglia contro le ingiustizie nel mondo e poco tempo dopo tutto svanisce, inghiottito dalla quotidianità, dagli impegni giornalieri, dalla noia, da questa vita monotona che mi ha dato tutto e che non mi fa apprezzare niente. Questa lettera è una richiesta di aiuto. Io le chiedo di aiutare la mia giovane coscienza a non dimenticare, a non riaddormentare lo spirito che si ribella a questo mondo così brutto nei confronti del quale però non posso essere indifferente, perché esso è anche mio. Io le chiedo, se ha un po' di tempo, di corrispondere con me, per aiutarmi a crescere con la testimonianza del suo dolore che, se mi è permesso dirlo, con tutto il rispetto, io quasi le invidio, perché le ha donato una forza, una sensibilità, una dignità che io non possiederò mai. Comprendo il suo desiderio di «custodire» per sé la sua sofferenza e mi perdoni se forse le domando una violenza alla sua persona, ma la prego, mi insegni a parlare della deportazione. Noi ragazzi di oggi, così stupidi e ignoranti di fronte ai superstiti della guerra potremo continuare a denunciare le atrocità compiute nel cuore dell'Europa appena mezzo secolo fa, mantenendo al posto di tutti voi, la promessa fatta a chi, morendo nei campi, vi ha pregato di RACCONTARE...

Io, cristiana, chiedo a lei, che si professa laica ma che ha dimostrato, come le ha detto giustamente suo marito, di essere una persona di profonda religiosità,

*di aiutarmi anche a portare avanti l'impegno che ho
assunto abbracciando questa fede. Forse le sembrerà
strana questa richiesta, ma mi creda, sono sicura che
nessun sostegno potrà essere più efficace del suo
esempio...»*

Colei che chiamo Laura mi aveva rivolto un lungo elenco di domande:
Che cosa passava per la mente dei prigionieri? Vi
siete mai chiesti il perché? Esiste una risposta a
questa follia? Lì, in quei posti ha mai desiderato di
morire o continua ad avere paura della morte? E
dopo la liberazione? Davvero non sapeva cosa fare
con la sua vita, come poterla vivere, dove e con chi?
E cosa pensa dei nuovi atteggiamenti di intolleranza? Incontrando un naziskin cosa gli direbbe?
Come ha vissuto i massacri nella ex Jugoslavia, e
quelli più lontani le fanno così male davvero?
Come fa a non odiare nessuno? L'assassinio di
Rabin lo giudica anche lei come quelli di Gandhi,
di Martin Luther King? E cosa pensa, lei ebrea, del
conflitto arabo-israeliano?
E Laura riprendeva:

*«... mi rendo conto di aver trascritto un questiona-
rio interminabile e forse anche un po' doloroso, non
si preoccupi se ci sono domande alle quali non vuole
e non può rispondere, e mi perdoni se, per caso,
dovessi essere stata troppo indiscreta, mi creda, non
era mia intenzione. Se può invece rispondere a questo
interminabile test o preferisce raccontarmi altre sue
esperienze, andrà benissimo ugualmente. L'importante è che lei mi aiuti, perché è una persona ricca*

11

interiormente e sarebbe un onore per me se lei se-
guisse il mio processo formativo con la sua amicizia.
La prego...»

Questa lettera, una delle poche che conservo, avrebbe meritato più di una mia cartolina due anni fa. Indirettamente cercherò di rispondere e giustificare il mio silenzio colpevole sia nei confronti della giovane Laura che di me stessa, dei miei morti, di tutti i morti e morenti che mi hanno lasciato in eredità il loro ultimo desiderio: raccontare, se fossi sopravvissuta. Dire della nostra vita, o della morte nei lager nazisti.

La mia obbedienza a coloro che avevo guardato morire, ascoltato, dura da oltre mezzo secolo: con le testimonianze che sono contenute nella maggior parte dei miei libri e la mia presenza, soprattutto nelle scuole, ovunque fossi stata invitata, citata, interrogata nella veste di sopravvissuta ad Auschwitz. Veste che portavo come fosse stata su misura e ritenevo questo normale, naturale, giusto, quasi fossi un soldato animato di dovere, anche se, per lunghi anni, raccontando la drammatica separazione da mia madre, scoppiavo a piangere come se avessi avuto dodici anni, come allora.

Poi col tempo, anno dopo anno, imparai a dominare meglio l'emozione. A inghiottire le lacrime, a mascherare l'angoscia che mi afferrava per la gola. Balbettando delle scuse, prendendo un profondo respiro, continuavo a parlare del passato per il presente e il futuro. Non più mio, ma dei giovani.

Fino a due anni fa ero convinta che valesse la pena di poterlo e volerlo fare finché avessi vissuto, anche se alcuni ragazzi, mentre parlavo di mia madre e di mio fratello finiti nella camera a gas e di mio padre morto di stenti, seguivano il ritmo della loro musica nelle cuffie. Oppure chiacchieravano disattenti, ridevano, o si allontanavano annoiati. Senza immaginare certo che io sentivo, contavo i loro passi sulle mie ferite riaperte e le mie viscere contorte. E stranamente avvertivo per loro la stessa pena che avevo avuto per gli Hitler Jugend, che ignoravano ciò che facevano, come avrebbe detto angelicamente mia madre.

Nonostante le testimonianze mi pesassero e avvertissi una certa resistenza, da reduce coscienziosa a ogni nuovo invito scattava in me una sorta di obbligo interiore e, armata di medicinali contro gli spasmi addominali, continuavo come una Giovanna d'Arco che si avvia al rogo. E mi bruciavo. Mi lasciavo bruciare, e non mi meravigliai per niente quando un'impacciata studentessa rivolgendomi una domanda mi chiamò «Signora Auschwitz». Luogo che abitava il mio corpo e che mi sentivo anche addosso, come una camicia di forza sempre più stretta, che negli ultimi due anni mi stava letteralmente soffocando, senza che fossi capace di liberarmene. Ero convinta che dire di no alla testimonianza, separarmi da Auschwitz, da me stessa, dal mio essere, mi avrebbe fatto più male che continuare.

Ma anche le domande che seguivano ai miei interventi o alla lettura del mio primo libro autobiografico, *Chi ti ama così*, cominciavano a mettermi a disagio. Soprattutto quando non trovavo risposta né per me né per loro.

Dopotutto credevo in Dio? Perdonavo il male subìto? Potevo dar loro la mia forza?

Volevano che fossi io a dire che Dio c'era, come se la mia sopravvivenza fosse stata la prova della sua esistenza, e l'Olocausto quella della sua inesistenza. Il tradimento del Dio ebraico vendicativo? chiedevano.

Il fatto che non me la sentissi mai di coinvolgere Dio in un'esperienza così atroce li disorientava come il mio balbettìo sulla questione del perdono. Solo la mia totale estraneità a qualsiasi sentimento di odio o di vendetta verso chiunque pareva rasserenare i loro giovani volti bisognosi di certezze e di risposte rassicuranti.

Dire che nella mia cultura un individuo poteva perdonare solo per se stesso, immancabilmente riproponeva la mia diversità e la stessa eterna domanda: e io ho perdonato?

Il mio sguardo smarrito e dispiaciuto che non dava risposte creava nuovi disagi fra gli studenti, educati e cresciuti nella cultura del perdono e dell'assoluzione. E spesso, pur essendo ascoltata da molti, a volte con autentico sbigottimento mi vedevano, mi sentivano diversa. Lontana anni luce, anche come generazione. Spesso, soprattutto negli ultimi tempi, mi sembrava di parlare al deserto, nonostante avessi davanti centinaia di teste che sembravano tutte uguali: un unico muro nemico che cominciava a farmi paura; e per non temerli più mi insinuavo in loro, li incoraggiavo dicendo, ed era vero, che esisteva anche nei lager nazisti la luce della speranza, che c'erano degli esseri umani anche nella disumanità. Pochi, tre o quattro soldati tedeschi che avevano uno sguardo pietoso nei miei confronti e mi regalavano una patata, un po' di marmellata del loro rancio, un paio di guanti bucati; e uno, unico, indimenticabile, che mi aveva anche chiesto come mi chiamavo. Il nome, invece del mio numero: 11152.

Spiegai ai ragazzi che per gli ebrei Dio non ha immagine, ma se l'avesse somiglierebbe proprio a quei pochi tedeschi che mi guardavano non per selezionarmi ed eliminarmi o che allungavano le mani per aggredirmi, ma per darmi qualcosa. Erano loro a rappresentare la speranza, la volontà di sopravvivere. Uscire da quell'inferno e poter dire che non c'era tenebra senza luce. E se questo voleva dire fede, allora ero credente. A modo mio.

A volte mi dispiaceva raccontare ai più giovani delle «medie» la barbarie degli uomini. Anche se erano già assuefatti alla violenza quotidiana, i bambini e proprio per questo, suppongo, spesso mi ascoltavano senza battere ciglio. Senza troppo distinguere tra la verità e la finzione, senza capire quanto è preziosa la vita quando si sta per perderla da un momento all'altro. Nonostante venissi ogni volta rassicurata dai loro insegnanti che i ragazzi sapevano dell'Olocausto (avevano letto il mio primo libro, o quello di Primo Levi e avevano visto *Schindler's List*), la maggior parte ignorava del tutto l'accaduto. O aveva un'idea vaga e confusa di quell'evento di mezzo secolo prima; si comportavano come se quella vecchia storia non li riguardasse affatto. Come se non c'entrasse per niente con la loro esistenza né presente né futura.

Dei miei sforzi per far capire che il passato ci riguarda per l'oggi, e l'oggi per il domani non sembravano accorgersi. Né io mi rendevo conto della fatica; mi bastavano le lacrime di alcune ragazzine delle medie per darmi la certezza che tra tanti, da quel giorno, ci sarebbe stato qualcuno più utile al mondo, più convinto di poterlo cambiare, migliorare, come lo ero io alla loro età e come continuavo a credere, altrimenti non mi sarei trovata lì con tutta me stessa, con passione civile e il dolore sempre rinnovato.

Tra me e me concludevo ogni volta che, nonostante la sofferenza, i crampi di pancia e di stomaco, era un bene insostituibile la mia testimonianza, il mio parlare di Auschwitz. Pensiero che invece di restare in un angolo e lasciarmi vivere la mia vita, mi occupava anche il corpo come una gravidanza infinita di un mostro che non potevo esorcizzare né con mille libri né con mille testimonianze, luogo del male per eccellenza che captava e assorbiva ogni altro male dell'universo, da padrone insaziabile di mali. Il contenitore, il parente più prossimo, padre e madre di ogni nefandezza umana.

E chi ha Auschwitz come inquilino devastatore dentro di sé, scrivendone e parlandone non lo partorirà mai, anzi lo alimenta. Ma come scacciare, liberare il proprio corpo da quel macigno?

Credevo, mi illudevo, che con ogni mio libro sarebbe uscito un pezzo del figlio-mostro concepito ad Auschwitz. Forse per questo non li ho mai amati, mai aperti dopo che avevano visto la luce, pur sperando che non restassero orfani, e trovassero dei genitori adottivi.

Con un trucchetto, un'idea sana, avevo cercato anche di ignorare il mio pesante inquilino con un romanzo nuovo, *Il silenzio degli amanti*, calandomi nella veste facile di un «diverso», e mentre lo scrivevo sapevo bene di mettere al mondo un bastardo, magari rifiutato da chi mi avrebbe letto respingendomi nella mia pelle tatuata, ma ho provato e riproverò.

Un'altra via d'uscita dalla cattiva eterna gravidanza, tenuta a bada con medicinali antinausea e antispastici, era la mia promessa mai mantenuta di abbandonare la testimonianza e intanto annotavo con spavento i numerosi appuntamenti già fissati, incollando sulla mia agenda i bigliettini gialli dello stesso colore della stella che portavo sul mio cappottino liso, rovesciato, ingrandito anno dopo anno da mia madre disperata di non riuscire a vestire e sfamare i suoi tanti figli.

Leggendo le date dei miei impegni già presi, perfino tre in uno stesso giorno, mi chiedevo se ce l'avrei fatta, come fossi stata in procinto di scalare l'Himalaya; io che soffrivo di vertigini e disorientamento anche sulla terraferma. Mi ripetevo: «Basta, basta.»

Ma a ogni nuovo invito la mia autodifesa crollava per la gentilezza e l'insistenza con cui mi richiamavano, proprio me, al dovere nei confronti dei giovani ignari, svogliati, impreparati, e così presi di sé e della loro voglia di avere che invece di arricchirli li svuotava dei valori veri. Potevo abbandonarli? La diretta testimonianza del mio vissuto sarebbe stata per loro una lezione che nessuna scuola poteva dare! Irresistibilmente, finivo col dire di sì. Mi sentivo una sorta di Cristo che va a ridare la luce ai ciechi, l'udito ai sordi, la speranza ai desolati, la coscienza agli ottusi, e direi anche l'amore, la pazienza anche ai più indifferenti i più increduli e chiusi non solo al passato ma al loro stesso presente e futuro.

Tra un viaggio e l'altro pensavo a come sarebbe andato il neonato romanzo liberatorio o finivo in qualche ospedale o clinica, dove continuavano a rivoltarmi come un guanto alla ricerca della causa organica dei dolori che mi tormentavano senza darmi tregua. Senza ottenere alcuna risposta concreta sull'origine delle mie crisi sempre più frequenti e misteriose. I medici non potevano sapere, né sospettare in me il mostro. Era possibile che non volessi separarmene neppure io. Per poter tenere in vita i miei morti e tutti i morti?

Dopo gli esami sempre più nuovi e più sofisticati e qualche giorno di flebo con calmanti mi dimenticavo dei dolori ed ero già pronta a ricominciare il pellegrinaggio per le scuole.

Quando stavo male di nuovo e dovevo rinunciare anche a un solo invito, mi sentivo sconfitta e in colpa. Mi sorpresi perfino a chiedermi se avesse ancora qualche significato la mia stessa esistenza. Mi sentivo una traditrice, con una vita inutile. Una Signora Nessuno, neanche Auschwitz. Ma allo stesso tempo avvertivo qualche sollievo non potendo testimoniare. Pur sentendomi meglio, cominciavo a perdere strati di epidermide, ridotta a brandelli, a squame, a polvere farinosa, soprattutto sul ventre.

Stavo davvero per uscire dalla mia pelle e conquistare la libertà? La liberazione vera, dopo mezzo secolo di memoria scomoda, a volte accusatoria, risentita per forza.

Oh, come avrei voluto che durante un'intervista

o un mio intervento a scuola, mi avessero chiesto se amavo la montagna o il mare, la marmellata o il miele, le patate o il riso. O cosa pensavo di Andreotti o del sesso! Del sesso, mi è stato anche chiesto sì, in un incontro con donne adulte, ma sempre in relazione ai lager.

Il sesso nei lager! Mi sembrava una domanda-bestemmia, che mi irritava, come se l'interlocutrice non avesse capito niente dei lager. E raccogliendo tutta la mia pazienza, come tante altre volte, cercai di spiegare che, forse, all'inizio, ancora in carne (io potevo parlare solo delle donne, gli uomini erano i nostri aguzzini) a qualcuno poteva anche venire in mente di essere una donna e come tale vergognarsi per la propria calvizie e nudità di fronte agli scherani. Ma dopo qualche settimana di fame inimmaginabile e di botte per un nonnulla, si dimenticava presto di avere un paio di seni già svuotati, il ventre incavato, il sesso rasato e perso nella pelle ripiegata sulle ossa sporgenti.

Il terrore della morte dominava corpo, mente e spirito. Non c'erano donne e uomini se non nei casi eccezionali che non conoscevo, solo bocche affamate e occhi stralunati.

«Scusi...» era la solita frase, mentre aggiungevo che il sesso vissuto dalle donne selezionate appositamente era quello dei bordelli, e finiva con l'eliminazione, perché non potessero mai testimoniare ciò che avevano subìto. Come quelle che venivano scelte per le sperimentazioni scientifiche, o per il lavoro nei crematori, in funzione notte e giorno per bruciare tante vittime quante erano state pianificate, decise a tavolino.

Chiarivo, poi, che Auschwitz continuava a essere

qualcosa di castrante anche dopo, nei rapporti sessuali coi propri mariti o mogli o amanti, troppo riguardosi nei confronti dei sopravvissuti anche a letto, dove finalmente si sarebbe potuto dimenticare tutto.

Gli uomini rimanevano memori delle nostre esperienze per poter essere liberi e liberarci. Temevano di farci del male e il freno di Auschwitz lavorava anche durante i rapporti intimi, inibiva, tratteneva gli istinti, le fantasie, anche le più innocue. Un giorno, un uomo – raccontavo – dopo tanti anni mi aveva confessato che mi avrebbe voluto e desiderato tanto, ma quando, durante la cena, chissà come e perché, saltò fuori il mio passato e gli raccontai un solo episodio, le sue intenzioni e il suo desiderio per me erano svaniti di colpo.

L'irritazione che avvertivo sull'argomento «sesso e donne nei lager», cominciava a insidiarmi anche su altri temi, con domande più specifiche, magari su di me bambina di sette-otto anni che dubitava dell'esistenza di Dio; cosa che gli studenti avevano appreso dal mio primo libro letto in classe da alcuni di loro.

Non avendoli mai riletti, i miei libri, lì per lì restavo disorientata. Dubitavo e soffrivo e facevo soffrire mia madre, e la facevo arrabbiare, pur spasimando per un suo sguardo benevolo, una sua carezza. Ero la più piccola dei figli e i miei dubbi e tormenti sembravano un capriccio a tutti. Forse meno a mio padre, che pareva capirmi, anche se taceva nell'angolo senza neppure guardarmi, al cospetto di mia madre che quasi m'inghiottiva nella sua ira. E la sua lingua infuocata era come se sputasse lava, non improperi che mi bruciavano fino alle ossa, soffiando sulle mie ceneri bibliche maledizioni.

Con tutti i guai che aveva – eravamo molto poveri – la giustificavo, ma alla parola «poveri» i ragazzi mi guardavano increduli. Mi dicevano che gli ebrei non sono poveri, anzi... Spiegavo che nell'Europa dell'Est lo erano quasi tutti, e raccontavo come e perché, ma vedendoli dubbiosi non insistevo. Volevo evitare di non essere creduta neppure sul tema principale per cui ero lì: i lager.

Una ragazza arrossendo mi chiedeva se la mia mamma avesse mai dubitato del Signore, soprattutto quando eravamo chiusi nei vagoni e io scherzavo e cantavo per non impazzire (così era scritto nel mio libro).

Le risposi che non doveva mai essere stata sfiorata da dubbi, almeno me lo auguravo. Con me, lì dentro nel vagone, era stata così dolce e buona che io ero ancora più spaventata, ma non m'importava più di niente, solo del suo amore. Le sue mani intrecciavano i miei capelli con un nastro rosso, mentre lei si rivolgeva all'Onnipotente che sapeva tutto e vedeva tutto e non ci avrebbe mai abbandonato. Finalmente mi parlava, non mi sgridava più, mi raccontava della bontà divina infinita e della giustizia che avrebbe punito i malvagi e premiato gli innocenti. Allora non capivo che mi stava già parlando dell'altro mondo.

Una seconda ragazza mi chiese come aveva reagito mia madre quando le avevo detto che Dio non avrebbe fatto niente per difenderci né di qua né di là.

Risposi che era un po' meno arrabbiata del solito, forse turbata e riflessiva, ma convinta della sua fede irremovibile, e io la invidiavo. A me è sempre mancato il credo assoluto, fin dall'età della ragione non riuscivo a far coincidere Dio con il mondo in cui avevo vissuto e vivo. I conti non volevano tornare. Oggi – riflettevo ad alta voce – qualche volta avverto una strana sensazione, quella di aver perso d'improvviso la vita stessa come fosse stato un guanto o un ombrello.

I ragazzi sorridevano, mi rendevo conto che il mio stava diventando un monologo, e così tacqui sul mio bisogno di fede e sul panico che mi procuravano quelle sensazioni di perdita dell'esistenza, che associavo alla mancanza, al mio bisogno di Dio.

I giovani a volte dopo una mia testimonianza rimanevano ostinatamente muti, nonostante i miei incoraggiamenti a chiedere ciò che volevano, con gli insegnanti che li sollecitavano a non perdere l'occasione e a parlare con uno dei pochi ancora in vita. Una generazione in estinzione... «Vero?» si rivolgevano direttamente a me.

Ero lì immobile, come un pezzo da museo, un morto, un morente che doveva affrettarsi a dire l'ultima parola perché ormai i giorni e le ore erano contati.

Di solito le insegnanti aggiungevano la parola «scusi» e uno sguardo partecipe alla mia prossima fine, poi si rivolgevano ai giovani più sensibili ai problemi sociali in generale. A volte senza alcun ésito, e per giustificarli mi informavano a bassa voce che ci trovavamo dalle parti della Lega. Non capivo cosa significasse, perché la Lega dovesse essere associata al mutismo, ma ero felice di chiudere l'incontro; io non avevo mai negato risposte neppure alle domande che i giovani mi rivolgevano uscendo, allungandomi qualche stretta di mano e ringraziando per ciò che avevo detto. Alcuni mi volevano solo toccare, baciare grati e commossi e via di corsa fuori liberi e lontani da Auschwitz, dalla Signora Auschwitz.

Le ragazze decise a sapere di più mi requisivano addirittura, interrogandomi a lungo, giurando, promettendomi di testimoniare loro in futuro, al mio posto, anche con delle tesi sui miei libri, rassicurandomi che avevano imparato in due ore più che in tutti gli anni di scuola della loro giovane vita. Si lamentavano dei nonni, dei genitori, delle maestre che sembravano aver congiurato per risparmiargli tutto, e non far apprezzare niente: come affermava Laura nella sua lettera. È stata proprio lei a stimolare questa risposta rivolta a tutti, che le farà capire perché non ero in grado di accompagnarla per mano verso quella strada che premeva e preme anche a me più di ogni altra.

Ma la sopravvissuta vuole sopravvivere e assaggiare, se mai sarà possibile, la propria terza età e terza esistenza fuori di Auschwitz.

Qualche risposta diretta e indiretta è in questo scritto.

Nella mente dei prigionieri (parlo sempre di donne) dopo i primi tempi, fatti di pianti e disperazioni, non c'era più posto per niente.

Solo la voglia di salvarsi, anche a rischio della morte altrui, che annebbiava la ragione. Spesso diventavamo nemiche anche tra noi e le madri strappavano il boccone dalla bocca delle figlie e viceversa. Alla ferocia umana non c'era e non c'è risposta, né ieri né oggi. L'uomo è ben poca cosa, diceva mia madre, Iddio deve averlo creato in un momento di cattivo umore. Esclusi naturalmente gli ebrei, che secondo lei erano tutti buoni e santi, meno mio padre che seguiva di malavoglia i precetti e il giorno del digiuno fumava di nascosto.

Avevo spiegato ai ragazzi curiosi del dopo Auschwitz, che non avrei più potuto essere felice, anzi, a volte mi pentivo di aver lottato tanto: per tornare... dove? Da chi? Il nostro avanzo di vita era da buttare, da bruciare.

Israele, che poteva rappresentare l'approdo, la casa, la nuova patria, non aveva molto da darci, né aveva da prendere da noi, nuovi cittadini deboli e lagnosi, che si erano fatti recintare come pecore e portare al macello invece di ribellarsi e morire a testa alta. Avremmo dovuto imparare non solo a vivere ma anche a morire diversamente.

Lottare uno contro diecimila, un milione! Contro l'Europa che ci ha consegnato agli assassini?

Quando vi arrivai io lo stato d'Israele era nato da tre mesi e aveva ancora bisogno del latte della mamma e del sangue dei figli, i fischi delle pallottole non erano cessati, anzi, si doveva ancora morire o uccidere per sopravvivere. I nemici, allora e ora, sbucavano e sbucano da ogni angolo. L'odio non può dare la pace. Bisogna diseducare all'odio.

Uccidere io? Neanche il mio diretto nemico, avevo più volte ripetuto ai giovani. Ecco la mia religione che reclamavano tanti: mai spegnere una vita, neppure quella di un topo. Preferivo, senza mai sapere neppure io perché, essere colpita piuttosto che colpire, essere uccisa che uccidere: è un limite invalicabile per la mia coscienza di essere pensante.

Le intolleranze di oggi Laura? Mi ricordano, anche se non sono simili, quelle di ieri e saranno i cattivi genitori di quelle di domani. È la tecnica che cammina, corre, lasciando indietro l'uomo, la massa incolta, troppo facilmente manovrabile, sorda alla ragione e cieca di fede. Così ecco ancora guerre etniche, religiose e razziali.

So di essere elementare, ma non ci sono e non servono elucubrazioni socio-politiche, che possano giustificare ciò che è accaduto ieri o accade oggi. Sembra che il passato non abbia insegnato molto, neanche Auschwitz e i Gulag. Evidentemente ogni epoca deve avere le sue guerre e i suoi barbari di turno, anche i tempi sono vanitosi, non solo gli uomini, nel bene e nel male vogliono la loro parte.

Laura mi aveva anche chiesto cosa pensavo del conflitto tra israeliani e palestinesi: domanda immancabile, che sempre mi metteva a disagio a ogni mio incontro con i giovani.

Pensavo e penso da sempre, da prima di Rabin (che non è uguale né a Gandhi né a Martin Luther King, cara Laura) che sarebbe stato meglio raggiungere da tempo e a qualsiasi costo la pace con i paesi arabi e i palestinesi. Prima delle numerose guerre, vinte o no. Prima che crescessero generazioni e generazioni imbottite di odio e di esplosivi. Questo lo avevo capito già a diciassette anni, durante la mia breve permanenza in Israele. Non si poteva sottovalutare così a lungo lo sguardo (che non prometteva nulla di buono) dei bambini arabi e neppure quello dei palestinesi che convivevano con gli israeliani, lavoravano, magari anche sottopagati, covando dentro di sé vendette e rivincite senza fine.

Rabin martire? Certo lo è, per di più a causa di un ebreo fanatico, come tutti coloro che seminano la morte per una fede malata, assoluta, che non conosce il dialogo né la ragione dell'altro. Ma io ragiono umanamente non politicamente, che è un'altra cosa, e la politica non può badare al cuore.

Laura non è l'unica ad avermi chiesto perdono senza aver niente da farsi perdonare. Se non l'essere credente cattolica che sa del secolare antigiudaismo della Chiesa, della sua complicità e dei suoi insegnamenti che hanno contribuito all'irreparabile per la coscienza dell'Europa cristiana.

Chiedere perdono è bello, ma perdonare è duro era la mia risposta.

Questa mia ennesima testimonianza scritta, una sorta di congedo – spero – sta aumentando quella sensazione di assenza dalla mia stessa esistenza. Sensazione alla quale cerco di reagire con un'alzata di spalle e con una smorfia di rigetto, convinta che passerà come un'altra delle mie numerose malattie vere o immaginarie, da cui tentano di farmi guarire con vagoni di medicine e diete e non si chiedono, neppure quelli che sanno di me, se il male misterioso non possa chiamarsi proprio Auschwitz. Nient'altro. Io invece, nella mia solitudine, me lo chiedo con spavento rinnovato; se queste assenze, perdite, separazioni da me stessa non riguardino me testimone, che tenta di liberarsi dal dovere di testimoniare, nell'illusione di poter conquistare un'identità diversa fuori dalla gabbia dove sono rimasta chiusa io o non mi hanno fatto uscire.

Questi episodi di smarrimento – cerco di convincermi – potrebbero essere attribuiti anche all'età, all'avanzare della vecchiaia, ma io ho dimenticato anche di invecchiare; con gli anni l'unica cosa che è aumentata è il mio bisogno della mamma, della sua fede, per sentirmela più vicina. Per diventare lei, la madre di me stessa, una madre buona, che ama e perdona tutto alla propria figlia.

Io di mia madre, che temo anche da morta, penso che non mi perdonerebbe se smettessi davvero di tenerla in vita attraverso le mie testimonianze, se non parlassi più di lei, trasformata forse in sapone, forse in paralume o concime.

Papà non credo mi rimproverebbe niente. Sarebbe taciturno come sempre. Non mi parlava quasi mai da vivo, tanto meno l'avrebbe fatto da morto. Lui controllava, misurava ogni parola, come chi sa di non essere creduto, o come se coloro che gli si rivolgevano non potessero che rimproverarlo o fargli delle richieste vane: colpevolizzandolo anche perché non c'era un ago con la cruna più grande dove la mamma potesse infilare più facilmente il filo per rattoppare le lenzuola, i pantaloni, i gomiti bucati dei nostri straccetti.

E io stessa non ero troppo severa, già simile a lei, credendo di riassassinarla con il mio desiderio di silenzio sul passato?

Mi chiedevo perfino se era giusto aver scritto un romanzo su un «diverso» in cui non doveva esserci un solo accenno a me ebrea, a me sopravvissuta. Farlo era una sfida? Certo un tentativo di mettere almeno un piede fuori dai lager.

Continuando a testimoniare ancora mi era più facile sopportare il senso di colpa, sperando che il nuovo libro mi avrebbe portato anche l'altro piede fuori da quel cancello di ferro dove beffardamente era scritto che il lavoro rende liberi.

Sognavo di poter vivere senza più andare in giro come una rappresentante di Auschwitz, l'archetipo di Auschwitz.

Che altro ero? «Sei una pulce, un granello di

polvere» diceva mia madre, quando osavo dirle che non trovavo Dio nel mondo, nelle persone: non c'era nel signor Szabò, che al ritorno da scuola aveva aizzato il suo cane contro di me perché ebrea, né nel maestro che parlava sotto il crocifisso e mi puniva per niente, e neanche nel prete che predicava contro gli ebrei deicidi.

Per tutta risposta, sospirando, mia madre rispondeva che quelli erano dei *goyim* (non ebrei, gentili) e non potevo pretendere il loro amore. E se ribattevo che neppure il mio insegnante di ebraico – il suo santo – era migliore e neanche in lui c'era un briciolo di Dio cascava il mondo intero. Mi scagliava addosso sguardi di odio, augurandomi di sparire, di diventare muta per non poter pronunciare più parola. Maledizioni non sempre seguite da quegli sguardi di pentimento con i quali voleva consolarmi e dirmi che non erano tutti cattivi, e che comunque non stava a noi, a me, giudicare gli uomini, solo a Dio.

Non soddisfatta anche se impaurita, replicavo che Dio non poteva somigliare a ogni sua creatura, anche a quelle più odiose, e doveva darmi una spiegazione, perché non riuscivo a vedere Dio negli uomini, e per me o non c'era per niente o doveva esserci solo in pochi che però io non conoscevo. A quel punto, invece di spiegarmi qualcosa, si limitava a fissarmi e a oltrepassare la mia incerta figurina, dicendo che i più miserabili tra i miserabili erano, come me, coloro che dubitavano del Signore, che tutto vede e tutto sa. E gettandomi un'occhiata aggiungeva che mi ricordassi per sempre, di mettermelo bene nella testa bacata e non dimenticarlo mai, neanche quando lei non ci sarebbe più stata, concludeva, come se dettasse il suo testamento.

Tornando alle mie esperienze nelle scuole mi ero resa conto che ci doveva essere in molti giovani un rigetto immediato di quelle realtà appena testimoniate. Una sorta di autodifesa, anche se lì per lì sembravano ascoltare e partecipare. Gli scivolava di dosso tutto subito, come mi aveva scritto Laura? Qualche volta, avvilita, chiedevo loro come mai non avevano capito da ciò che avevano letto quanto avevo detto, e cioè che dopo la mia selezione non appena arrivati ad Auschwitz non avevo mai più rivisto i miei genitori. E la mia salvezza dalla camera a gas la prima volta fu dovuta a quel soldato che aveva colpito mia madre con il calcio del fucile, e che mi aveva urlato, colpendo anche me, di andare dall'altra parte, a destra, con quelli destinati ai lavori forzati.

E mai avevo incontrato quel tedesco? Domandavano quasi si fosse trattato di una passeggiata sul corso. E mentre gli spiegavo che tra centinaia e centinaia di SS e militari incaricati di svolgere le loro mansioni nei più di milleseicento campi di concentramento era assolutamente impossibile una cosa del genere, mi guardavano increduli. Aggiunsi che era ugualmente impossibile per loro distinguerci: eravamo tutte calve con indosso una palandrana grigia identica. Veste o nudità totale che avevano permesso di salvarmi anche dalle successive selezioni fatte dal famigerato dottor Mengele, a cui riuscii a sfuggire tornando tra le prigioniere non selezionate, approfittando di un attimo di distrazione del medico che rappresentava l'esperimento, la morte. Sapevamo che un suo gesto era la nostra tortura, la nostra fine peggiore. Pur ignorando in generale tutto il mondo esterno, all'interno dei lager le voci correvano da una baracca all'altra. E diventavamo sempre più attente alla nostra pelle. Anche sul lavoro spiavamo gli aguzzini per evitare che si accorgessero di un nostro attimo di riposo, dell'appropriazione di un pezzo di giornale, di un ciuffo di erba commestibile, o della scorza di un albero con cui riempire lo stomaco vuoto e indolenzito dagli spasmi della fame costante.

I giovani, anche i meno giovani, continuavano a chiedermi perché dubitavo di Dio già da bambina e invece in quei pochi tedeschi buoni mi pareva di riconoscerlo.

Scorgere una mano benevola, un non so che di umano in mezzo alla ferocia, era qualcosa di miracoloso, era la luce che annullava l'oscurità, l'orrore che regnava nelle anime e sulla terra su cui posavamo i nostri piedi congelati, laddove neppure il cielo prometteva niente, quasi sempre grigio e minaccioso.

Da piccola, ricordavo a loro e a me stessa, mi pareva di sentire Dio magari nel pane fresco appena fatto dalla mamma o nello sguardo innocente dello scemo del villaggio, sbeffeggiato da tutti, come gli ebrei con la barba e i riccioli. Ma poteva anche nascondersi nei fiorellini sbocciati a primavera dopo il gelo invernale, nelle gemme degli alberi e nei frutti tra le foglie. L'ho anche sentito nell'acqua quando avevo troppa sete. E nel mio stesso respiro nel silenzio notturno.

«Lei crede più di quanto dice di credere» affermava una ragazzina con l'aria sollevata, e non ebbi più coraggio di parlare dei miei dubbi. Di pesare sulle loro fragili spalle bisognose di rafforzarsi, di affrontare la vita con più fiducia.

Ciò che mi turbava non poco era anche quel mio ruolo di narratrice di orrori. Se da una parte dovevano sapere, dall'altra tutto ciò non li indeboliva nei confronti del mondo? Erano già bombardati di violenza quotidianamente, e, pur essendo assuefatti, intossicati di disastri vicini e lontani, mi accorgevo sempre delle loro reazioni liberatorie quando affermavo che nonostante tutto credevo nel bene e nel bello.

E se chiedevano cos'era più difficile, più doloroso da sopportare nel lager, la fame, la sete, il freddo o la nostalgia di casa, rispondevo immancabilmente e senza alcun dubbio che erano i lager in sé. I campi di sterminio creati dagli uomini contro i propri simili. Che guardare e vivere ciò che erano e sono capaci di fare gli essere umani era la cosa peggiore. Un dolore morale da cui non si poteva guarire e che non si poteva tacere, anche per le atrocità d'oggi.

I giovani volevano sapere cosa potevano fare loro, che non erano niente, che non contavano.

«Siete tutto e potete fare molto» li incoraggiavo, elencando una serie di cose elementari: migliorare prima se stessi poi il rapporto col mondo. Partecipare. Rispettare ogni diversità. Aiutare i più deboli. Allontanare i pregiudizi e i razzismi innati nella nostra stessa cultura, religiosa o laica. Cedere il proprio posto sull'autobus a una persona anziana. Aborrire ogni sorta di violenza o di odio. Vivere veramente la fede, se si crede, non come qualcosa di già acquisito, come fosse un bottone sulla giacca, ma come conquista morale quotidiana, che non vuol dire andare in chiesa a pregare, peccare e chiedere l'assoluzione, ma fare i conti con la propria coscienza. Interrogarsi e capire da sé il bene e il male, ciò che vale e ciò che è futile. Vivere la solidarietà nel senso più grande, più universalistico, una sorta di democrazia dell'animo.

«Denunciate anche vostro padre o vostro fratello, se è un malfattore o uno stupratore» mi era sfuggito dalla bocca in una città del sud dalla malavita diffusa.

Le insegnanti spesso turbate da ciò che dicevo tentavano di captare la mia attenzione, preoccupatissime per sé e per gli studenti, con i quali avevano un finto rapporto materno o paterno.

Volevano che dicessi e non dicessi. A volte scusandosi mi interrompevano, soprattutto se parlavo dell'atteggiamento della Chiesa nei confronti degli ebrei nei secoli passati e dell'antisemitismo moderno, pregandomi di tornare all'argomento concordato, che non poteva essere che la deportazione. La selezione. Un giorno nei lager. Il lavoro forzato. L'importanza della memoria. O Primo Levi e le sue opere.

E io, con passione, ribollendo dentro, come se parlassi di cose accadute ieri, oggi, un'ora fa, tornavo sul tema come una scolara diligente. E forse era solo per questo che avevo potuto smuovere anche quei giovani che ascoltavano svogliati, ottusi. Aprire un varco di luce nei loro sguardi opachi, nella loro impermeabilità, simile ai loro giubbotti sgargianti. E pur premiata da lunghi applausi e qualche lacrima di commozione, mentre li vedevo scappare alla fine, saltellanti e felici di essere liberi dal dovere di ascoltare la gentile signora-testimone, immancabilmente mi promettevo che sarebbe stato il mio ultimo discorso nelle scuole.

E non sapevo cosa mi irritasse di più: alcuni studenti o i loro insegnanti. La mia paura di e per loro? La loro ignoranza sull'argomento o le domande assurde che ogni tanto mi rivolgevano? Avrebbero potuto obbedire anche loro a un padre-demonio? Me lo chiedevo e gli spasmi all'addome aumentavano e mi facevano sbottonare la gonna, scostare il collant. «Un po' d'acqua?» mi chiedevano qualche volta, evidentemente preoccupati non solo da ciò che stavo dicendo agli alunni, ma dalla mia voce, dal mio pallore poco rassicurante.

Alcune domande dal sapore antisemita le vivevo come un'ennesima offesa, e provavo spavento, vero e immaginario, all'idea che quei giovani potessero commettere gli stessi errori dei loro nonni.

Mi consolava il fatto che il mio intervento non sarebbe stato mai inutile finché anche un solo orecchio avesse ascoltato ciò che stavo dicendo e una sola coscienza si fosse aperta sul passato o sul presente. Un po' come un attore che recita con tutta l'anima per un solo spettatore come per mille.

Ma l'atteggiamento di alcuni giovani mi tormentava per giorni e notti intere. E vivevo la loro indifferenza come una mia sconfitta. Perché l'illusione giovanile di redimere il mondo, migliorare l'uomo si riaccendeva in me ogni volta, pur sapendo che era impossibile.

E mi chiedevo se parlavo o scrivevo per i morti o se parlavo e scrivevo perché temevo per i vivi e i vivi. Avevo più bisogno io di dire che loro di ascoltare?

Anch'io avevo qualcosa da imparare, però, dovevo imparare a dire di no, senza dubbi o debolezze, non solo alle scuole ma a qualsiasi mia presenza-testimonianza, ovunque. E dopo gli ultimi otto impegni già presi (li contavo in continuazione come fossero i miei ultimi giorni di vita) rinunciare, darmi una tregua, non ricadere più, non preoccuparmi se fosse giusto o meno.

E ascoltare solo il mio corpo che da tanto gridava il suo no, con degli spasmi in ogni angolo dell'organismo, frugato con strumenti odiosi che da brava bambina malata sopportavo nella mia fuga ripetuta dalla testimonianza. Causa primaria dei miei continui malesseri, da anni riacutizzati soprattutto prima e dopo le scuole. Finita negli ospedali romani, chiassosi, un po' collegiali e un po' militareschi, l'amore dei numerosi visitatori e la solidarietà fra noi degenti mi riconciliavano con l'umanità stessa, che fuori era più egoista. Nella clinica dov'ero ormai di casa, stavo subito meglio essendo accolta come una parente e chiamata per nome.

«Ti piacerebbe una bella malattia, eh?» mi prendeva in giro il chirurgo, che mi aveva operato tanto tempo prima, e ripeteva che non c'era alcuna ragione per riaprirmi la pancia, né per un calcoletto renale insignificante, né per la diverticolosi, a una certa età frequente; abbassava la voce galante e civettuolo più che altro con se stesso. «È la tua testolina che non funziona. Perché tratti male il tuo povero intestino? Io non posso trapiantarti un nuovo colon, chiaro? Non è stato ancora inventato. Con i calmanti ti passerà tutto; rilassati e ti buttiamo fuori presto. E anche lei deve calmarsi» si rivolgeva a mio marito, preoccupato per la mia salute, e per la sua che ne risentiva a ogni mia ricaduta. Mio marito pur pregandomi di non correre da una scuola all'altra, da Nord a Sud, per troppa civiltà e coscienza non insisteva a fermarmi.

Mi fece promettere che dopo gli impegni già presi (che solo elencarli mi costava fatica) avrei imparato a dire di no. O almeno a diradare i viaggi che mi rovinavano l'esistenza. Promettevo e non mantenevo la parola e ricadevo nella trappola del dovere; mi giudicavo debole di carattere, non solo nel caso specifico del mio vissuto, ma per tutti gli altri no che avrei dovuto dire.

Nel mio esagerato rispetto dell'essere umano, c'era qualcosa di autolesivo, di malato o di troppo sano.

Soggiogarmi, per chiunque, era una cosa da bambini. Credere nelle persone mi piaceva; avevo bisogno di pensarle migliori dei loro atti e apparenze.

Ciò che devo avere cercato fin da bambina, pur con i miei dubbi precoci, cresciuti con me senza mai tramutarsi in certezze, mai superati, creando dentro di me una sorta di buco vuoto, scuro, un senso di fame costante, che niente e nessuno era riuscito a riempire o demolire a colpi di amore e di luce. Nemmeno quella assoluta fede di mia madre alla quale non osai che raramente parlare dei miei dubbi e tormenti notturni.

Anche nella mia resistenza a imparare l'alfabeto ebraico, oltre alla paura e ripugnanza per il maestro, c'era il timore che Dio si trovasse proprio lì in quelle lettere strane dai molti significati. E se c'era doveva rimanere: solo così poteva salvarsi, essere puro e difeso.

Il fatto che per mia madre Dio fosse ovunque,

sapesse e potesse tutto mi era insopportabile: era come addossargli il male che esisteva, la crudeltà della gente, perfino quella verso le mogli e i figli.

Per me Dio non poteva essere che un neonato mai cresciuto, abbandonato e bisognoso lui stesso di aiuto, non un gigante onnipotente!

«Mamma, cosa posso fare io per Dio?» le chiedevo talvolta, seria e sincera. «Se io pregassi come te, gli sarebbe utile? Lo rafforzerebbe?»

«Tu?» restava sempre fulminata dalle mie domande, e invece di rivolgersi a me alzava gli occhi verso l'alto chiedendo perdono per me, figlia per la quale era stata già punita, giustamente punita, perché tutto quello che veniva dal Santo tre volte Santo non poteva che essere giusto e accettato a testa china.

«Sei la sua frusta» mi rimproverava rassegnata, e per spezzare la mia presunzione di poter aiutare io Colui che domina il mondo, e per le mie domande che erano peccati, mi privava per tre giorni della magra merenda per la scuola. E ciò che era peggio, non mi parlava che lo stretto necessario; ero invisibile al suo sguardo risentito, addolorato per me e contro di me che non la perdevo mai di vista e di nascosto l'annusavo. Le sfioravo la veste amata, quando inevitabilmente ci scontravamo nello stretto spazio tra la nostra unica stanza e la cucina.

Quei tre giorni di castigo erano i più lunghi della mia breve infanzia. Nella solitudine m'identificavo con mio padre, o assente da casa o muto per natura e per fuga dalla troppa responsabilità e da altrettanti rimproveri per i suoi poveri affari fallimentari.

Avvicinandolo cauta, in punta di piedi, a volte gli chiedevo a cosa stesse pensando. Perché guardava nel vuoto tutto solo nell'angolino? Gli proponevo di uscire con me, ciò che non aveva mai fatto; lo supplicavo di parlare con me, con lo stesso risultato. Ah, i suoi occhi tristi... il suo sguardo perso, perfino oggi mi scuote il cuore così racchiuso in sé e solo come Dio.

Mio padre non aveva mai la risposta pronta e sicura come mia madre, neanche sulle questioni più banali. Le poche volte che parlava sembrava non avere alcuna certezza, e le sue risposte erano solo autodifese, anche dai rituali della fede, che la mamma gli imponeva perché lui era l'uomo, e le sue preghiere valevano più di quelle delle donne, e avrebbero contato di più davanti al Signore; erano un dovere come guadagnare il pane per i suoi figli.

Oh, quante volte avrei voluto saltargli nel grembo chiuso, ma appena mi avvicinavo incrociava subito le gambe magre, incurvava la schiena giovane e nascondeva il bel volto chinando la testa sul tavolo, diventando impenetrabile.

Quando la mamma non mi parlava e papà era lontano anche quando era vicino, invece di crescere pensavo che sarebbe stato meglio morire da piccola, ma subito pentita annunciavo ai miei che da grande avrei aperto un negozio di pane e fiori.

Mia madre esprimeva la sua commiserazione, figlia di mio padre con i suoi sogni inutili. E aggiungeva – se per caso mi fosse sfuggito – che la gente il pane lo faceva in casa e che i fiori non erano commestibili; ce n'erano già nei giardini.

Sorrideva sia a me che a mio padre con autentica pena, perché eravamo ambedue inadatti alla vita. Ma per quello che mi riguarda si sbagliava: io ero curiosa, fantasiosa da piccola, ma così fortemente attaccata alla terra e capace di vedere la realtà, da chiedermi troppo presto dove fosse l'Onnipotente. Domanda che forse avrebbe trovato la risposta solo quando fossi rimasta in silenzio su Auschwitz? Silenzio che mi avrebbe permesso di ascoltare non solo il mio corpo, ma anche quelle mie improvvise sensazioni di totale smarrimento che avevo associato al mio bisogno di Dio?

Questo avevo detto anche in uno dei miei interventi a scuola, quando un ragazzo pallido mi aveva confessato di essere ateo e di non capire come potessi sperare in Dio proprio io che ero stata deportata.

Mi affrettai a dirgli che per me Auschwitz non poteva essere attribuito a Dio e che la responsabilità di tutto ciò che era accaduto e ancora accade doveva essere assunta dall'uomo, dagli uomini, senza coinvolgere alcun Dio nei loro atti criminali o nei loro consensi taciuti.

Alle autorità della scuola piacque molto la mia risposta, ma il povero studente restò insoddisfatto come lo ero io con mia madre. E mi dispiacque non solo in quel momento ma anche dopo, a casa, dove mi chiedevo che altro avrei potuto dirgli se non la mia verità: la risposta che davo anche a me stessa, in difesa di Dio e della fede di mia madre che doveva essere andata verso il crematorio come fosse l'avvicinamento a vita vera, nuova, giusta, senza più preoccupazioni, senza più antisemitismi e nazismi. Non osavo neppure pensare che avesse perso la fede proprio quando le era più necessaria.

«Pssst...» invocava il nostro totale silenzio quando la nonna morente, sua madre, stava compiendo ciò che lei chiamava il grande passo, dopo averci spiegato che anche la morte era una nascita. Nascere e morire erano la stessa cosa: si soffriva nascendo e si soffriva morendo.

Prima di tacere però, riuscii a chiederle se chi partoriva la morte era Dio.

Mi fece segno di sì e mi respinse con un gesto irritato.

Che altro poteva essere se non la fede il suo testamento mai scritto per i figli sopravvissuti?

Mi sorpresi a pensare sempre più spesso all'amico fratello di lager Primo Levi; pur non accettando mai quel suo gesto estremo, contrario alla sua lucidità anche nell'oscurità delle baracche, lo invidiavo perché non doveva più né scrivere né testimoniare a parole.

Io mi ripetevo che non avevo il diritto di suicidarmi, se già non lo stavo facendo giorno dopo giorno, scuola dopo scuola. O forse ero una morta vivente tornata dall'Ade, dal regno dei morti?

Contemporaneamente alla mia intenzione di lasciare prima di tutto le scuole, mentre cercavo qualcosa tra plichi, carte, quaderni, ritagli di giornale che invadevano ogni spazio attorno alla mia scrivania, come per mano del destino mi ritrovai davanti ciò che avevano scritto gli studenti del Liceo artistico Modigliani di Padova, dove ero stata due o tre anni prima. Mi misi a sfogliare, a leggere qua e là...:

Ecco, entra accompagnata da due docenti Edith Bruck. Sale sul palco mentre i ragazzi iniziano ad applaudire sempre più forte e poi i battiti s'indeboliscono fino al silenzio.

La mia insegnante di lettere espone ciò che si farà e che è stato preparato per questo incontro. Chiama così il primo gruppetto di cinque persone che dovranno esporre il libro Chi ti ama così *raccontando le loro impressioni.*

Saliamo sul palco anche noi. Ci accoglie con un sorriso. Io inizio a tremare e tutto a un tratto ad avere caldo... mi tolgo il maglione e intanto guardo tutti quei ragazzi presenti nella sala e squadrandoli a uno a uno penso a cosa gira in quelle teste. Osservo anche lei: noto i lineamenti marcati e cerco di capire cosa stia provando rivivendo quei brutti momenti rievocati dai ragazzi che vogliono saperne di più.

Così senza accorgermene, la Bruck risponde alle prime domande; arriva il mio turno e mi accosto al microfono per parlare... non ci riesco, l'emozione è troppo forte. Silenzio. Che figura! I miei amici in platea applaudono incoraggiandomi, ma l'emozione diventa ancora più forte. Dopo un istante la vedo alzarsi e venirmi incontro. Mi è accanto, mi prende una spalla e mi dice: «Stai calmo, eccomi sono qui, dimmi tutto.» *Quel momento è stato come... è inspiegabile, ho iniziato a dire tutto il discorso senza neanche dare una sbirciatina al foglio che avevo accuratamente preparato. Ma l'ansia non scompare...*

L'intervista è durata ancora a lungo, altri ragazzi sono andati a porgerle delle domande e i gruppetti previsti sono piano piano aumentati, sembrava quasi non finissero, e lei continuava a rispondere.

Tutto è stato ripreso accuratamente da una videocamera puntata direttamente sulla cattedra al centro del palcoscenico. Un registratore per non dimenticare la voce di Edith e tutto ciò che si era detto. Alla fine, i ragazzi, così come sono entrati, escono nella solita confusione. Solo alcuni si fermano per l'autografo. Anche lei sta andando via col suo passo lento. Mi

pare contenta, perché ha potuto raccontare la sua storia e quella del suo popolo, ed è certo che noi, sapendo ciò che è successo, non lo faremo risuccedere. MAI PIÙ!!!
Matteo

... La mia attenzione e tutti i miei pensieri erano catturati da lei, provavo una sensazione strana, come se non avessi potuto far altro che volgere lo sguardo verso il palco e ascoltare attentamente ciò che diceva. La sua voce infondeva sicurezza, non mi sembrava possibile avere davanti a me, a una distanza così breve, una persona sopravvissuta allo sterminio nazista, una donna che ha tanto viaggiato e scritto libri. Ascoltavo attentamente ogni sua risposta alle nostre domande, cercavo di non perdere alcune parole.

Non avrei mai voluto che si alzasse da quella sedia e se ne andasse. Continuavo a pensare che una situazione del genere non si sarebbe ripetuta facilmente e mi rattristava il fatto che il tempo a nostra disposizione stesse per finire. Arrivato il triste-felice momento dell'applauso finale, mi sono veramente sfogata. Battevo le mani più forte che potevo, come se volessi farle sentire quanto ero euforica per la sua presenza. Non so bene se Edith abbia sentito la mia felicità, ma sono sicura che se un giorno o l'altro incontrerò alcuni dei miei compagni delle elementari, potrò dire loro che ho visto dal vivo una sopravvissuta scrittrice e potrò assicurarli che non era né vecchia né curva, ma piena di forza e di felicità immensa nel trasmettere il vero valore della vita.
Martina

... L'applauso è stato sincero, lungo, commovente. Molte ragazze sono salite sul palco per stringerle la mano, quasi per ricevere il passaggio del testimone, altre per un autografo, alcune semplicemente per guardare da vicino quella signora di sessantatré anni che, come hanno detto Marco e Manuel, non è mai stata patetica.

E mi ha fatto riflettere su molte cose che nessuno prima mi aveva detto, voleva farci capire che non bisogna dimenticare il periodo nazista, che è tuttora una realtà nascosta sotto altre forme e che c'è gente che ancora oggi muore per l'ingiustizia, che perde la vita. Accidenti!

Cornelia

Rilessi qualche brano anche degli scritti degli studenti di una scuola media dei dintorni di Roma, Monterotondo? Morlupo? Ormai confondevo i piccoli centri con altri numerosi dove sono stata accolta e ascoltata in generale con più attenzione che nelle grandi città. E i loro insegnanti dimostravano più calore umano e familiarità, così come gli studenti che mi avevano donato i loro compiti dopo la lettura di alcuni dei miei libri, soprattutto di poesie:

... Io penso che la lettura delle opere della scrittrice e la sua presenza siano positive per noi, perché ascoltiamo personalmente la testimonianza di una ragazzina ebrea che è vissuta nei campi di concentramento. Le sensazioni che ho provato generalmente sono angoscia, pena, come se mi mancasse l'aria per respirare. A volte anche tenerezza e paura. Inoltre quando si parla di tedeschi, di campi di concentramento, di

42

ebrei sottomessi, ho un senso grandissimo di impotenza che mi butta moralmente giù. Tra le poesie mi è piaciuto molto Nascere per caso. Ogni volta che la professoressa leggendo iniziava un nuovo verso, per me era un mattone che mi crollava addosso.

Maurizio

... In particolare le poesie e il libro Lettera alla madre mi hanno colpito profondamente. Toccano il cuore. Io non sono indifferente a tutta la sofferenza che lei e gli altri ebrei hanno provato durante il nazismo. Mi ricorderò delle persone morte nei campi di concentramento.

Marco

... La poesia Ogni inizio è già la fine rispecchia quello che succede al giorno d'oggi per colpa della troppa superficialità delle persone. Molte volte si tende a banalizzare ogni cosa, anche l'amore che è uno degli aspetti più belli della vita.

Fabio

... A me piace molto il suo modo di scrivere perché fa sentire tutta la sua rabbia e il dolore che ha provato e prova ancora.

Federico

Trovo molto interessante il lavoro che stiamo svolgendo sull'opera della scrittrice. Quando la professoressa legge io entro nel ruolo della protagonista.

Ruolo che mi fa paura, e comincio a pensare che cosa sarebbe avvenuto se avessi subito io quel dramma. Faccio il confronto fra ciò che ho ora e quell'esperienza, e mi convinco che non sarei riuscita a sopravvivere. Il messaggio che mi ha trasmesso è il coraggio di non arrendersi mai, anche se le difficoltà sono tante, e di sperare sempre nella vita.

Valentina

Dopo la lettura di alcune opere della scrittrice, ho riflettuto e credo che in ognuno di noi c'è il male. Con la profonda differenza che alcuni riescono a combatterlo, altri lo affermano contro le persone. Ho provato una sensazione negativa perché il male prevale sul più debole.

Tina

Mentre sfogliavo, leggevo quei testi dimenticati, riscoperti, i miei propositi e promesse di abbandonare le scuole mi indebolivano anche le gambe. Ogni tanto sarei andata in qualche scuola vicina. Non più i pellegrinaggi da una città all'altra, dove andavo armata di memoria viva e tornavo quasi sempre del tutto svuotata, smemorata. I luoghi, più che vederli, li intravedevo, un po' da ubriaca dalla vista confusa. Mi ricordavo qualche professoressa nei piccoli paesi animata da una grande coscienza civile. Anche la simpatia umana, la schiettezza mi sollevavano dal peso della testimonianza. Nelle microcomunità l'impatto con gli studenti era più facile ed erano attenti a ogni mia parola come se riguardasse loro stessi. Avessi potuto, avrei scelto la periferia, i nipotini di nonni diseredati e probabilmente semianalfabeti.

Le professoresse troppo formali, borghesi, spesso raffreddavano gli animi dei loro studenti-bene e non facevano che aumentare la tensione dei miei nervi provati.

Al contrario di un tempo, pur essendo più fragile, più coinvolta, il mio corpo lo riportavo a casa sempre sano e salvo. Forse era il non poter più piangere che mi faceva ammalare? Il controllo sull'emozione? O la routine?

Il coro attorno a me negli ultimi tempi ripeteva, cantava in tutti i toni il suo no ai miei viaggi. E io finivo con il dire di sì dopo una timida resistenza perché giudicavo indegne e meschine le mie difese sfidando per l'ennesima volta il mio corpo nemico, che se avesse potuto non sarebbe mai salito su un treno o una macchina diretti verso qualche scuola lontana o vicina.

Senza presunzioni né illusioni mi rendevo conto sia del costo che dell'utilità dei miei calvari, nonostante mi accorgessi subito dell'apatia e degli atteggiamenti perfino insolenti di alcuni gruppetti di giovani decisi a ridermi in faccia. Mi dicevo che se ero sopravvissuta nell'83 a un filmato ungherese sulla mia vita, non avrebbe potuto distruggermi più nessuna scuola, né alcun gruppo.

Avevo accettato di percorrere la mia esistenza a ritroso, fino al mio paesino natio, aggirandomi nel rudere della mia casa, pazza di un dolore soffocante. E senza neppure la certezza che sarebbe servito a qualcosa. Senza immaginare che la mia sofferenza avrebbe scosso la coscienza di vecchi e meno vecchi. Che la storia vera era taciuta, mistificata a casa e a scuola. A casa per autodifesa nella complicità col male dei nonni o degli stessi genitori, a scuola per tornaconto di un regime che mentiva anche a se stesso. In faccia al proprio passato fascista e imbevuto di antisemitismo da molto prima che fosse diventato legge odiare gli ebrei.

Ai giovani del mio paesino avevano insegnato falsando la storia che erano stati i tedeschi a portare via gli ebrei, e non i gendarmi locali. E che i tedeschi erano occupanti, non alleati! La colpa era sempre e ovunque dei tedeschi.

Il film-documentario prodotto dallo Stato, grazie all'unico vero cristiano, l'amico Nemerskürty, che era a capo di uno dei cinque Studi cinematografici (gli altri quattro erano, pare, in mano a ebrei, compreso il direttore generale), aveva avuto l'effetto di una bomba lacrimogena che aveva colpito anche i cuori più chiusi e resistenti nel confronto con il passato individuale e collettivo. Nel socialismo reale gli stessi dirigenti tacevano sulla loro origine ebraica, nel nome di un comunismo spesso di facciata o di convenienza.

Il film, di un'ora e trenta, passato nei cinema e più volte riproiettato in televisione, è apparso sul piccolo schermo la prima volta l'8 aprile dell'83 alle 22,30, sollecitando numerosi spettatori a scrivere da tutto il paese alla TV, o a me direttamente. Delle centinaia di lettere, penso che valga la pena di riportare alcuni brani significativi:

Stimata Scrittrice Edith Bruck,
Ieri sera è stato proiettato il film di B. Rèvèsz sulla Sua vita.

Il suo contegno mi ha fatto riflettere. Sono pochi coloro che sono tornati da quei «viaggi». E la maggioranza segue la strada del destino dei sopravvissuti, reprimendo, dimenticando e perdonando. Verosimilmente è così che si può sopportare l'insopportabile.

Ci vuole una forza d'animo spaventosa per vivere il destino di colei che ricorda continuamente. Lei è Elettra.

Non può farci niente, è vita dura. L'unica sua fortuna è che ha talento, è un'Elettra bella. È così che diventa credibile.

Lei non può fare altro che comperare chili di pane e costruire una casa grande per i morti, come dice nel film.

Lei non è consolabile né risarcibile, lei non può occuparsi dei dolori altrui – inutilmente ne parla – perché lei è la sofferenza in persona.

E questo non è un ruolo, lo so – e perciò inutilmente conosce anche i lati belli della vita – non può che vivere ciò che vive.

Il viaggio di ritorno in Ungheria, l'offerta dei fiori, la pasta fatta in casa della vicina Lidi non fa che rendere grottesco il dramma, senza poter sfondare la corazza gelida della morte.

È un bene che abbiano fatto questo film, perché lei ha preso su di sé il dolore inesprimibile di tanta gente.

Con stima Markus

9 aprile ore 9 del mattino

Cara Edith!
Continuo a rinviare la stesura di questo mio messaggio. Ma i miei pensieri non riescono a raggiungere

quel grado di temperatura che mi libera dal rimorso comunicatomi dalla sua figura nel filmato.

Come risulta dall'appello che le includo, io ero uno dei pochi, purtroppo, che sono innocenti da colpa, anzi hanno fatto il possibile per scongiurarla. E nonostante ciò la macchia «gialla» della vergogna – come lenzuola insanguinate – non se ne va con il lavaggio. Certamente la colpa collettiva dell'accusa di omicidio rituale (nei confronti degli ebrei) ha radici ataviche. Ma non è solo questo, c'è dell'altro: è la fuga dalla complessa e faticosa ricerca delle cause delle catastrofi sociali che addita il capro espiatorio... ma neanche questo lava la macchia gialla dalla camicia del mio popolo-famiglia!

Non mi basta sapere che da tempi immemorabili tutte le comunità-nazioni cercano la propria difesa prevenendo materialmente i fatti, fuggendo il rischio di assumere su di sé la colpa ma ciò non mi consente di perdonare alla mia nazione la caduta nel crimine.

Vedo solo lei nel suo villaggio natio, alla ricerca titubante di qualcosa che possa aiutare a sciogliere la convulsione spasmodica che l'assale. Le mani che invano frugano nel Nulla, nell'ombra dei suoi cari... È Lei che stringo al mio cuore, cara sorellina Edith... e la saluto con profonda comprensione e partecipazione.

Kun Zsigmond
Casa dei pensionati
Budapest - 28 giugno 1983

P.S. Nel 1938 l'appello contro la prima legge razziale nei confronti dei nostri concittadini ebrei, oltre che da me, fu controfirmato da scrittori, artisti, scien-

ziati, membri dell'aristocrazia, cinquantanove perso-ne (tutti ariani puri); qualche nome deve suonarle familiare: Béla Bartòk, Zoltàn Kodàly, Conte György Apponyi, l'eroico Miklòs Makay, Conte György Szé-chényi, Lajos Zilahy, Móricz Zsigmond...

L'appello, a me sconosciuto, pur caduto nel vuo-to, era per me consolatorio, e quel pugno di firme sono perle lucenti in un mare diventato nero.

Edith cara,
Sappi che in Ungheria hai una buona amica, che non è una scrittrice né un'artista, ma una come tanti che lavorano molto ma ha gli occhi aperti e pensa. Ed è grata a una persona come Te. Ciò che dici e ciò che scrivi lo fai anche a nome mio, e ti devo un ringra-ziamento...
Katalin

... Io ho solo diciassette anni. Né i miei né la scuo-la mi hanno mai insegnato niente sul passato. Lei mi ha fatto capire tutto. Conti su di me; da oggi in poi io non sarà più antisemita...
Róza

... Mio figlio è tornato da scuola in lacrime perché gli avevano dato dell'ebreo. Mio marito aveva chiesto in che tono gli era stata detta quella parola e il bam-bino, che allora aveva solo sei anni, rispose che il tono era cattivo, che non poteva essere niente di

buono essere ebreo. Noi lo siamo ma lui non lo sa...
cosa dobbiamo fare?
Magda

... Nostro figlio di undici anni aveva saputo da
qualcuno che eravamo ebrei. Ci ha sputato addosso,
ci ha insultato ed è scappato di casa. Lei che ha tanto
coraggio a essere ebrea, vivendo però in Occidente e
non qui, ci dia un consiglio per recuperare nostro
figlio...
Irén

... Non capisco come ha potuto lo Stato spendere i
nostri soldi per un filmato su un'ebrea che ha agito
al contrario di tanti altri, che non sono scappati dalla
propria patria e hanno partecipato alla costruzione
del socialismo...
Olga

... Non mi vergogno pur essendo un uomo di con-
fessare che ho pianto durante tutto il filmato...
György

... Il filmato ha scosso molte coscienze sporche nel
nostro paese, e rivelato verità nascoste. Invece che
alle 10,30 di sera, perché non lo proiettano prima e
anche nelle scuole? Lei che può, lo suggerisca alle
autorità competenti...
Anna

Budapest 27 aprile 1983

Cara Edith!
   Permettimi di chiamarti semplicemente così, e non badare neppure al confidenziale «tu», ma mi è più facile scrivere dei sentimenti che il film La visita *ha fatto erompere in me.*
   Descriverli è terribilmente difficile, ma infine è necessario confrontarsi con se stessi, anche se ciò implica una vivisezione dell'anima. La visione del film mi ha afferrato con forza primitiva e ha fatto esplodere in me la tristezza, la disperazione inconsolabile di fronte all'immagine della tua casa ridotta a un rudere; ero invaso dall'ira quando i vicini tentavano di calmarti: «No, non fare così. Sii forte» e soprattutto: «Tutti hanno i loro guai e perdite». Quest'ultima frase mi ha turbato. La gente è in grado di conoscere la profondità del dolore? Sanno distinguere tra male e male? Dal film sembra di no. Di quella tristezza, di quel dolore, sono avvertibili almeno due strati. Il tuo dolore di allora *e di* oggi. *E l'uno è più grande dell'altro. Quello di allora, il vecchio, è* la perdita dell'infanzia *di colpo, per sempre – questo non sapevamo allora, ma sentivamo. La tensione e il pericolo l'avevano confinato in seconda linea, ma era dentro di noi. O la perdita della famiglia e della sicurezza le avevamo già smarrite prima? Sembra di sì e per sempre. Nonostante da allora ci sia una famiglia nuova, la vecchia è perduta, e perciò – Dio mi perdoni – non può diventare vera neanche la nuova. Io lo sento così, la vecchia famiglia è scomparsa, sparita, nonostante fossero tornati sia mio padre che mia madre.*
   Il problema è la perdita della fiducia, *brutale, im-*

*provvisa, la sofferenza dell'*emarginazione *dai nostri* «*concittadini*». *Il trauma dell'*essere stranieri, *il* «*qualcosa in me è fuori posto, sono colpevole*», *e la vergogna dell'espulsione dal consorzio civile. Il* sentimento della delusione, *degli amici subito nemici quasi nella loro totalità, o degradati in osservatori indifferenti, il senso d'*impotenza *e la paralizzante* sottomissione *che non smettono di bruciare dentro.*

Ma il dolore ha anche un altro strato: il dolore dell'oggi. La scoperta di essere soli – «*sono sola*», *ciò che esprimi in uno dei tuoi versi. La solitudine del bambino a cui si aggiunge l'impossibilità di sperare dell'adulto, sembra davvero insopportabile.*

Le vicissitudini che sono toccate all'ebraismo; le umiliazioni, l'intolleranza, il sapere di essere da sempre cittadini di seconda classe, si potevano sopportare solo con una sorta di compensazione psicologica. Forse anche il mito del popolo eletto *nasce da qui. In questo senso può avere un significato anche il detto che più Iddio ci colpisce più ci ama. È nella punizione che si esprime la diversità?*

Ma una buona volta bisogna superare «la diversità», in questo senso. Nel nostro interesse. Se le vittime sono considerate come conseguenza delle malvagità e della crudeltà umana, e non come espressione singolare dell'amore di Dio e della sua elezione, anzi la sua prova, allora possiamo contrastare, difenderci. *Non bisogna, non si deve, con disperazione e la testa china assumere l'eterno ruolo di vittime, di capri espiatori.* «*L'esagerazione*» *tedesca può avere un'unica positività, se questo «amore» degradato a distruzione lo sottomettiamo a una analisi critica per trarne la necessaria conseguenza. Se c'è Dio tutto ciò non poteva accadere secondo la sua volontà. Cito*

Sàndor Schreiber, il direttore dell'Istituto Rabbinico, che così scrive: «Io stesso ho dei dialoghi penetranti con Dio... hanno ucciso mia madre... anche se con la ragione me ne rendo conto, nel mio cuore non posso accettare come volontà di Dio». Forse ci stiamo avviando verso una strada più elevata del cambiamento. E il senso di colpa che ci riguarda – abbiamo peccato contro Dio, contro nostro padre e nostra madre – e la tradizionale rinuncia all'autodifesa, finalmente potrebbero interrompersi. Sarebbe ora!

La sofferenza che ci ha toccato non è un affare esclusivamente nostro. Non è una questione privata, ma riguarda tutta l'umanità, ne è parte.

È sempre necessario «andare oltre», noi qui più che altro abbiamo percorso la strada della repressione, invece che la ragionevole tolleranza, la correzione cosciente degli errori e il fuoco purificatore del compromesso che ci avrebbe portato veramente a un'unità più elevata, umana, nella direzione di un'Europa centro-orientale multietnica, con religioni diverse, con ungheresi di origini differenti. Altrimenti è conflittuale anche il mio essere ungherese: appartengo a coloro che una volta mi avevano discriminato? Io...

Scusami! Solo ora vedo quanto lontano mi ha condotto l'impeto provocato dalla tua visita filmata. Io non sono stato in un campo di concentramento, non sono arrivato che fino al ghetto a undici anni. Ma mi è stato sufficiente per farmi sentire, in un certo senso, in certe situazioni, a cinquant'anni come un bambino abbandonato nel ghetto. Spesso avverto di iniziare a crescere solo adesso, e solo ora oso accettare dal destino di avere una famiglia, credere che siamo sopravvissuti.

Scrivi in un tuo verso che l'inventario è fatto, sei sola. Forse è questo sentimento che ci ha reso adulti.

Ma spero tanto che avverti che non sia così. Hai intorno molta gente che sente come te. Lascia che ci aggiungiamo anche noi. Oso sperare che questa lettera ti convinca.

Saremmo molto felici di conoscerti personalmente e includerti in quella grande famiglia che aspiriamo a formare attorno a noi.

Con grande affetto

György, Judith, Ági e Péter

Budapest, lunedì 13 aprile 1987

Cara dolce Edith!

Il tempo anche nella mia anima è brutto! La televisione ha proiettato di nuovo il tuo calvario fisico e spirituale; le commoventi fasi della tua visita.

Tu non mi conosci! Al contrario, io ti ho adottato come sorella maggiore per sempre. Se me lo consenti!

Ho compiuto da poco cinquant'anni. Anch'io ho preso parte a tutto ciò a cui ci hanno destinato i mandanti di allora: i prostituti dell'intelletto.

A un solo passo dall'assassinio per vocazione e per scelta.

Edith! Il mondo marcisce. Gran parte di questi maiali vivono ancora tra noi. Non hanno faccia. L'hanno cambiata. Non si può più riconoscerli. Io non sono ebreo! Ma mi dispiace, e mi vergogno di poter essere solo cristiano! Credente, perciò neanche con me ha avuto riguardo il destino! Se potessi, mi addosserei molto del tuo fardello – che tu possa essere felice! Anatole France, in qualche parte, una volta aveva detto a qualcuno: «L'uomo attraverso l'uomo si consola». Purtroppo non lo credo!

Quando realmente doveva fare l'uomo per l'uomo qualcosa di importante, le grandi menti si paralizzarono appositamente! Preferirono assumere il rimorso postumo! Tanto, non è visibile all'esterno!

La mia nazione malata è in ginocchio davanti a noi, È COLPEVOLE!

Edith! Scrivi! Scrivi! E scrivi!

Ti prego non smettere.

Con sincera devozione

Ferenc

Devo davvero essere stata colpita da queste lettere dall'Ungheria, se le ho conservate per così tanto tempo. E ora, ritrovate e tradotte da me, mi sono sembrate più importanti di allora, quando devo averle scorse con la vista velata di lacrime.

Immagino, spero di aver risposto a tutti, anche se non adeguatamente. In quel periodo in cui è stato girato il film avevo vissuto in una sorta di trance. Come durante i miei viaggi e interventi nelle scuole o altrove.

L'infanzia, Auschwitz mi proiettavano indietro ogni volta nel tempo, in una realtà fuori dal mondo. Un altrove che pur facendo parte di me mi separava dal qui e ora, mi toglieva la salute gettandomi in balia dei ricordi. Delle rabbie impotenti e di una tristezza così globale da abbracciare l'umanità.

Mi chiedevo spesso se il mio invivibile masochistico dovere di testimoniare non fosse un'autopunizione perché esistevo: una sorta di trottola semiguasta che girava per distribuire dolore e memoria come fossero prodotti smerciabili. Fiori del male che sapevano di carne bruciata.

«Non ce la faccio più» avevo detto da poco a un amico, ex partigiano deportato politico, che anziché al mio fianco come altre volte, avevo scoperto seduto fra il pubblico.

«Non abbandonarci...» mi disse dopo che gli avevo accennato alla mia stanchezza di testimoniare. «Siamo pochi, tu sei la più giovane, non tradirci, eh?» Poi con enfasi: «Toccherà a te portare avanti il filo della memoria...»

«Di questa eredità sono già miliardaria. Non ce la faccio più per davvero... sto male» mi giustificavo tremando di freddo accumulato sia nella sala che sull'uscio di un comune nel Bresciano. E lui di rimando: «Guardami... alla mia età – mi daresti settantasei anni? Vado tre quattro volte ogni anno a Mauthausen con dei gruppi di giovani. Stiamo organizzando un viaggio ad Auschwitz e vogliamo che sia tu l'accompagnatrice.»

«Io?! Mai!» Alzai gli occhi sull'uomo alto, dal volto gradevole, fisicamente asciutto, dal tono della voce fiero, da eterno partigiano. «Io non posso... io non tornerò mai.»

«Per favore non dire così...» mi mise una mano sulla spalla in un gesto di incoraggiamento fraterno.

«La tua esperienza è stata diversa, tu sapevi il perché, tu per loro eri un uomo, un nemico attivo, io soltanto un'ebrea, una bambina ignara.»

«Non facciamo differenze, siamo tutti ex deportati e basta, no?»

«No, la differenza c'è, ed è fondamentale. Ci sono stati deportati e deportati, vittime e vittime. Non sto misurando la sofferenza, solo le motivazioni. Andiamo, ti prego... sono stanchissima e qui si crepa di freddo.»

«Scusa, scusa, dimmi solo una cosa, non penserai sul serio di abbandonare la testimonianza?»

«Sì... spero davvero di smettere con questi viaggi. Anche stasera... uno parla parla, ricorda, precisa, e il primo genio che si alza per rivolgerti una domanda vuole sapere se le donne e gli uomini erano insieme e se nascevano amori nei campi.»

«Hai risposto bene, no? Nasceva la morte – avevi detto. Sei brava. Sempre brava... poi hai fatto capire la selezione e la divisione subito all'arrivo. Il pubblico di stasera era fatto più di anziani che di giovani, qualcuno anche sordo, lo sono un po' anch'io e il microfono continuava a non funzionare. La tua voce si perdeva in quella sala grande per un pugno di gente così alla buona.»

«Dobbiamo giustificare sempre tutti e tutto? I giovani perché sono giovani e non sanno, i loro genitori che li riempiono solo di beni materiali, la scuola che ignora la storia più recente...»

«L'ignoranza non è colpa di chi non sa, ma di chi sa e non insegna. Per questo dobbiamo parlare noi, di tutto.»

«Noi?! Credi veramente che bastino quattro sopravvissuti ancora in vita per sostituire la famiglia, la scuola, l'insegnamento religioso? Ti prego non aumentare il mio eterno mal di stomaco.»

«Non puoi smettere di scrivere, di parlare delle cose nostre. Non c'è più neanche Primo... credimi, per me ogni viaggio in quei posti è un premio; i ragazzi vogliono sapere, non sono così vuoti come dicono, vuote sono le istituzioni. Tu sei sempre ascoltata come un oracolo, io ti ho sentito parlare tante volte... Sei indispensabile perché allarghi i problemi, li universalizzi. Come puoi rinunciare alla testimonianza? Ma tanto non te lo permetteranno, ormai tu sei tu e basta.»

Ci lasciammo con il solito abbraccio forte, da sopravvissuti. Lui con la ferma speranza di rivedermi presto da qualche parte, e io dispiaciuta di non poterlo rassicurare.

Contavo a rovescio gli ultimissimi impegni già presi, come fossero ancora giorni di reclusione da scontare.

Il turbamento psicofisico legato ai lager finiva inevitabilmente con il coinvolgere l'ambiente della mia infanzia: un paesino fangoso tra la Slovacchia e l'Ucraina popolato di contadini semianalfabeti, assoggettati come per legge atavica alla volontà dei signori padroni dei loro corpi piegati dal lavoro e delle loro anime piene di superstizione. Il prete protestante e quello cattolico, gli insegnanti delle due scuole elementari – non ce n'erano altre –, il segretario comunale, il medico condotto, il giudice, i gendarmi, tutti ostili a noi ebrei.

Brevemente dicevo qualcosa anche del dopo-lager e dei miei spostamenti, prima di trovarmi in Italia per caso e di approdarvi con la sensazione di essere accolta in una grande famiglia sconosciuta, e allora – oltre quarant'anni fa – disposta a dividere la minestrina della cena o il pasto del mezzogiorno che gli operai consumavano in strada e offrivano a ogni passo. Magari con un fischio di complimento o uno sguardo allusivo; l'Italia degli anni cinquanta, per fortuna quasi del tutto scomparsa, portandosi via, però, anche quel calore umano che sapeva ancora di guerra e di miseria. E di memoria viva.

L'argomento Italia era seguito immancabilmente da domande adatte a una turista: mi piaceva il paese? Mi trovavo bene? Cosa pensavo dell'Italia e degli italiani? C'era dell'antisemitismo o del razzismo in Italia? Conoscendo per esperienza il loro stupore se dicevo per prima qualcosa di negativo, mi affrettavo a dichiarare che l'Italia era uno dei paesi più belli del mondo, paese a cui ero legata più di qualsiasi altro, anche se questo non voleva dire che ero contenta di tutto e di tutti. Mi lamentavo della classe politica di turno e dello scarso sentimento comunitario e civico della gente in generale. Mi dispiaceva che chi per decenni aveva avuto in mano le redini del paese non avesse dato l'esempio necessario a modellare le generazioni educandole all'onestà privata e pubblica. Aggiungevo che le Tangentopoli probabilmente esistevano ovunque, anche se non in misura così macroscopica. I ragazzi ridevano contenti del mal comune mezzo gaudio.

Si finiva col toccare il problema dell'antisemitismo.

All'Est solo ufficialmente condannato ma non scomparso e riemerso con l'abbattimento dei muri. In Italia era rimasto più velato, meno duro prima e taciuto dopo. Ma bastava un'occasione banale per far dire alla gente comune e meno comune che gli ebrei erano più furbi, più intelligenti, meno italiani e certamente più ricchi e legati fra loro in ogni parte del mondo come una Massoneria o Mafia. Di solito preferivo non accennare alla cultura ancora diffusa che dava giudizi globali sugli ebrei, definendoli spesso avari, astuti, anche brutti e cattivi. Ciò che mi meravigliava ogni volta erano i ragazzi stessi che candidamente ammettevano di pensare così.

Credevano in dicerie sentite anche a casa. Come autodifesa non mancavano coloro che ricordavano un amico di nome Levi o Fiorentino o Lopez, tutti benestanti, un po'... diversi, sfuggenti, forse diffidenti... Forse, supponevo, avevano ereditato la diffidenza dai loro nonni, succhiata con il latte materno; sapevano che in un tempo non così lontano i «diversi» avevano perso non solo i diritti civili ma l'esistenza stessa?

Comunque... aggiungevo misurando, pesando con fatica ogni parola, gli ebrei non erano tutti uguali, e senza alcun dubbio assomigliavano alle caratteristiche nazionali dei propri rispettivi paesi: un italiano qualsiasi non era sfuggente, astuto, bizantino? I caratteri nazionali esistevano ancora anche se il mondo era diviso in nord e sud. E pur sopravvivendo l'immagine delle singole nazioni, ovunque si beveva la coca cola e le immigrazioni stavano cambiando i volti stessi dei paesi, sempre più multietnici e multiconfessionali: ciò che avrebbe provocato pregiudizi da cui non eravamo immuni.

Tra le domande capaci di bloccarmi, di rendermi titubante, a parte quella immancabile sul perdono, c'era quella sul mio sentirmi italiana o cosa. Di solito rispondevo con estremo disagio che io non potevo sentirmi niente, solo ebrea. E non nutrivo alcun amore nazionalistico, anzi lo temevo, perché poteva sfociare in estremismi, in guerre totali, tribali, religiose. Il mio credo universalistico, detto in poche parole, si perdeva sui volti sospesi dei giovani e nei loro sguardi smarriti. Mentre le professoresse li richiamavano a tutte le cose belle che avevo detto, chiarendo per chi non avesse capito che io dovevo essere una pacifista, dall'anima ecumenica, e non intendevo certo togliere loro l'amore per la patria o negare la fede di alcuno, ma unire le diversità nel pieno rispetto reciproco.

È così signora? mi chiedevano ogni volta la conferma non priva di ansietà. Temendo che le mie idee potessero suonare sovversive o antitaliane, inevitabilmente seguiva una terza domanda, per me disagevole, se sentivo almeno nostalgia per la mia patria, l'Ungheria.

L'effetto delle tre, anzi quattro domande ovunque ripetute: se perdonavo l'orrore visto e subìto, se ero credente, se mi sentivo italiana, se avevo nostalgia del mio paese di origine, per qualche motivo suscitavano la stessa reazione confusa, incerta, come se avessero toccato in me qualcosa di troppo fragile, di scoperto, di aperto senza una risposta convinta. Potevo mai perdonare per mia madre bruciata? Credere senza alcun dubbio? Sentirmi di appartenere al paese di cui ero figliastra, perché io non avevo studiato a scuola Carducci ma Petöfi. E che nostalgia potevo mai avere per un paese – che per me consisteva nel villaggio – che nella mia lingua natia mi aveva insultato, offeso, cacciato di casa e consegnata agli assassini?

Forse ci sono, ci devono essere delle cose per cui non si hanno risposte, né si possono inventare, anche se premono più di ogni altra sia a noi che a chi ci interroga affamato di certezze.

Dire che mi dispiaceva di non poter avere una risposta pronta a queste quattro domande, soprattutto con i giovani, è troppo poco. Automaticamente mi ritrovavo sempre e dovunque e in ogni occasione come indebolita dentro. Semiparalizzata dall'impotenza, bloccata, con la sensazione di essere scoperta in flagrante, interiormente su qualcosa di intimo, di delicato. Una sorta di segreto dell'animo ferito, in cui restavano sospese, ancora informi, le risposte.

E tutte le infinite volte che mi sono state fatte le singole domande, pure nella loro diversità, mi hanno lasciato addosso, anche dopo i miei interventi, il dilemma irrisolto che stavo vivendo, maturando più che con serenità con contraddizioni e malessere.

A chi se non a me stessa era indispensabile una risposta monosillabica, un sì o un no? Eppure si era sempre intromesso un «ma», un freno che mi salvava dall'autoinganno e dal non essere sincera con i giovani. Non gli avevo mai mentito, davo loro le stesse risposte che davo anche a me stessa, pur essendo consapevole che alla loro età avrebbero avuto bisogno di risposte rassicuranti. La mia buona fede e la mia incapacità di mentire per compiacerli non mi avevano mai permesso la leggerezza né nel dire né nello scrivere. Certo, io avevo sempre parlato delle mie esperienze, anche quelle interiori di fronte alla realtà del passato e del presente, solo a nome mio. E quando dicevo di essere salva dal sentimento dell'odio – per cui dovevo un «grazie» a chi? – era la verità. Ma questo non era e non è sufficiente per poter dire che sì, perdonavo. Né mi bastava sentire il bisogno di Dio per averlo, o dire che mi sentivo italiana perché vivevo in Italia da oltre quarant'anni, e scrivevo in italiano. Né ero vista e vissuta come italiana da nessuno. E cosa voleva dire sentirsi italiani o francesi, o ungheresi se queste identità comunque per me non potevano contenere alcun sentimento nazionale? Che importanza poteva avere la provenienza di una persona, se era degna di stima indipendentemente dal colore della pelle e dalla sua fede e origine? Se l'uomo era ciò che si poteva chiamare uomo?

Non che fossi immune del tutto da nostalgia, ma non come intendevano i ragazzi che alludevano alla patria. Io, se rimpiangevo qualcosa della mia infanzia, erano i miei genitori, le feste ebraiche, le mie grandi gioie per le cose più piccole, direi necessarie; un paio di scarpe risuolate, un dolce pasquale fatto da mia madre, l'allegro scoppiettare del popcorn sul fuoco, nel cortile, nella vecchia padella di ferro bucata con un chiodo.

Mi mancava proprio quella felicità del poco, che era scomparsa in seguito anche se avevo più del necessario. Quel freddo crudele fuori e quel caldo affumicato nella nostra piccola cucina non li avrei mai più sentiti. E neppure quei riti festivi, con le tovaglie immacolate sul tavolo il venerdì sera per onorare l'inizio del sabato. Quegli odori e sapori non esistevano, anche se probabilmente ne avrò sentiti anche di migliori. Le mie nostalgie riguardavano un'altra vita, morta definitivamente.

Sentivo nostalgia di quell'età, anche se avevo capito troppo e troppo presto tutto, piena di sogni, prima che avvertissi il male. O forse quell'età non l'avevo mai avuta, essendo nata colpevole, in quanto ebrea, agli occhi della maggioranza che mi circondava. Ma nel ricordo mi pareva di sì, e mi rivedo ancora oggi correre nel sole scalza e leggera, avvolta nella polvere che io stessa sollevavo.

Nonostante la povertà, in cui anche una busta di carta aveva il suo valore, credo di essere stata felice, per una nuova gonna a pieghe, per gli infiniti progetti, un fiocco rosso tra i capelli biondi, una fetta di pane con del burro e dello zucchero.

L'essere ebrea, che comportava in sé un destino avverso, era un sentimento che sopportava perfino Auschwitz, non legato alla fede o ai precetti ma a qualcosa d'altro, di indefinibile. E se nelle scuole mi avessero chiesto in che cosa consisteva questo mio sentirmi ebrea – per fortuna non mi era mai capitato – probabilmente avrei balbettato di nuovo qualcosa di insoddisfacente, magari accennando alla cultura, al legame con un popolo o chissà...

Forse definirsi possono solo coloro che hanno i propri vivi e i propri morti sullo stesso luogo. Io su quale tomba e dove avrei potuto pregare o portare i fiori? Sulla bocca del crematorio che aveva inghiottito mia madre e mio fratello? O in qualche campo coltivato e concimato con ciò che era rimasto di mio padre? Chi aveva perso anche la traccia dei propri morti era privato anche della terra che potesse dire sua.

Nella provincia di Bologna, addirittura, alla vista dei visini da latte dei bambini di una scuola media mi ero così intenerita che ero restia – e non era la prima volta – a raccontare il mio vissuto. Ne avevo pudore.

Avevo chiesto quasi scusa e con estrema cautela cominciai a parlare di ciò che mi era successo all'incirca alla loro età. E li guardai, mentre ascoltavano composti e visibilmente tesi.

Immaginai me al loro posto, di fronte a una signora che improvvisamente arriva e parla di cose così orribili da far paura: da non voler più vivere in un mondo che può diventare così disumano. Io come avrei guardato l'interlocutrice che si sforzava di mostrarsi serena, anche se era evidente che aveva voglia di piangere? Che effetto mi avrebbero fatto quei racconti da incubo? Una volta a casa avrei chiesto a mia madre, a mio padre se quelle cose erano vere. E se lo erano, e loro lo sapevano, perché non mi avevano mai detto niente? E nella scuola perché non le avevano insegnate? Se mi negavano quelle verità che ci riguardavano tutti, come potevo io crescere meglio di chi aveva partecipato a quelle atrocità accadute e che potevano ancora accadere?

Osservavo le ragazzine dalle gote rosse, lo sguardo un po' fisso e spaventato insieme; mi fermai su una figurina magra dall'espressione ansiosa nella quale mi identificavo. E da quel momento parlai solo a lei, come fosse il mio specchio, dicendo una cosa negativa e una positiva per non distruggere le mie speranze, i suoi sogni, nonostante fosse già contornata da un mondo violento.

La ragazzina dal volto chiaro e immobile e dai capelli biondi e lisci, sembrava ipnotizzata dal mio sguardo e da ciò che stavo raccontando. Non osò neppure battere le ciglia né respirare regolarmente, tanto meno contenere quel mare di male che le rovesciavo addosso, anche se continuavo a consolarla, a consolarmi sottolineando un gesto, un raro sguardo umano nei lager.

Mi sforzai di ricordare, arricchire e gonfiare i pochi episodi positivi, come se quella sorte stesse aspettando lei, loro tutti, dietro l'angolo. Stavo letteralmente rassicurandoli del bene anche nel male più grande. Era terribile dover raccontare.

«Ma sono troppo piccoli» mi ero rivolta alla giovane professoressa, esile e forte. Invece di frenarmi mi incitava a dire tutto, perché dovevano sapere anche se poteva turbare le loro anime ancora informi perciò ancora plasmabili.

Che ruolo ingrato! pensavo, ripromettendomi per la centesima volta che con l'ultima testimonianza a Brescia avrei davvero preso congedo da ciò che rappresentavo. E non tanto per il mio costante malessere, di cui negavo la vera causa – come avevo sempre fatto quando non potevo sopportare le conseguenze della realtà –, ma per non dover più essere la portatrice di memorie nere a dei giovani così spesso acerbi, impreparati alla vita che gli aveva dato troppo, indebolendoli. Giovani che faticavano a distinguere tra male e male, adolescenti che invece di camminare e procedere con gli anni, li precedevano a volte con dei suicidi, non solo per noia, per gioco, per droga o per qualche rimprovero a scuola, ma per vedere cosa c'era nell'aldilà, come se l'aldiqua l'avessero già visto e vissuto tutto da vecchi. Stranamente, al contrario di tante altre volte, al cospetto di quei ragazzi e ragazzine con le facce pulite, mi pareva di imbruttirli, di sporcarli con le mie esperienze che sapevano di odio, di sangue e di sofferenza.

Avrei voluto chiedere io perdono a loro per i misfatti degli uomini e per coloro che vi avevano preso parte o acconsentito che accadessero, per lasciarli sperare liberi in un futuro degno di essere vissuto.

Al contrario delle altre scuole, dove più o meno l'atteggiamento che dominava era spesso l'incredulità o l'insofferenza di dover ascoltare dei vecchi che raccontavano cose vecchie, in quella piccola scuola sembravo io la più vitale, la più ottimista. Con tutti i miei anni e i miei pesi. E non avevo proprio cuore di accennare alle cose più brutali. Infatti, forse per il mio tono controllato dopo le frasi conclusive nessuno mi aveva chiesto alcunché.

Si alzarono senza fare chiasso come fossero in chiesa, e uscendo in fila ordinata la maggior parte mi ringraziò con uno sguardo muto, una timida stretta di mano che esprimeva partecipazione.

Mi chiedevo come fosse stato possibile che, all'infuori della scuola ebraica di Roma, non avessi mai incontrato uno studente ebreo. Non c'erano? Dov'erano? Possibile che neanche uno fosse venuto a dirmi di essere ebreo, o non voleva dirmelo? Sapevano già tutto o non volevano essere scoperti? O erano più imbarazzati degli altri per chiedermi qualcosa come se la colpa del persecutore fosse stata del perseguitato?

Nelle scuole, prima o dopo o durante il mio intervento, i moduli da riempire per il rimborso spese, e a volte una sorta di gettone di presenza, erano cose davvero penose. Poche centinaia di migliaia di lire maledette, che odiavo e spendevo subito come se mi bruciassero la mano. A Brescia l'organizzatrice culturale e amica, Nina, della quale ero anche ospite, inutilmente mi consolava dicendomi che tutti erano pagati, anche se poco, le scuole, le università piangevano miseria. «Ma se fossero venuti Sgarbi o Busi li avrebbero pagati a suon di milioni» si rammaricava.

«Auschwitz non ha mercato» sorrisi, «è meno vendibile, dovrebbero essere loro a parlarne, io non ho neppure un nome; sai come mi ha chiamato una studentessa... mi pare a Pescara? Signora Auschwitz.»

Feci di nuovo un sorriso un po' sghembo e l'amica, nonostante i capelli bianchi, mi guardava con il candore di una fanciulla meravigliata e con la passione civile di un'eroina, fuori posto in una cultura che era tutto meno che eroica.

Quell'espressione le era propria, e con i grandi occhi spalancati su un mondo che l'ascoltava sempre meno e le apparteneva ben poco, mi stringeva sottobraccio e cercava di rassicurare oltre me anche se stessa, dicendo che i miei interventi, anche quelli negli anni passati, avevano lasciato un segno; che se ne parlava ancora perché io riuscivo a commuovere anche le pietre e a raggiungere con le mie parole, così vere, anche i più sordi dei ragazzi. Lei era stata insegnante e conosceva l'ambiente dei giovani.

«Tu sei necessaria nelle scuole» mi scuoteva, sapendo già che avevo l'intenzione di abbandonare del tutto i miei interventi.

«Questa» m'indicò un edificio nuovo a forma di piramide in una zona di Brescia, «è la scuola dove andiamo. È la prima volta che ho preso contatto con loro, speriamo bene... ti piace?»

«È troppo alta, mi fa girare la testa tutto questo cemento e vetro. Non so se è bella...»

«È stata fatta da un grande architetto. Vieni...»

M'introdusse all'interno in uno spazio unico diviso in diversi ambienti con una scala senza ringhiera più o meno al centro, sulla destra dello spazioso ingresso-corridoio.

«Di qua, di qua» mi guidò verso uno degli uffici, dove l'accoglienza mi parve formalissima, ciò che per esperienza creava un vuoto difficilmente colmabile.

Mi misero davanti i famosi moduli, dandomi un cortese benvenuto e chiedendomi di non dimenticare il codice fiscale, se l'avevo, l'indirizzo e il numero del mio conto corrente bancario, dove avrebbero spedito al più presto un assegno. Sapevo già che avremmo dovuto sollecitare più volte il pagamento; poi quando me lo ritrovavo sul conto mi pareva un sorprendente, dimenticato regalo.

In attesa che sistemassero il microfono mi chiesero se volevo un caffè, che mi era proibito bere poiché stavo seguendo su consiglio del medico una dieta adatta al mio stomaco, percorso da lancinanti dolori, e l'intestino perennemente in subbuglio.

Un uomo in tuta gialla armato di fili elettrici venne a chiamarci e seguimmo una professoressa, forse la direttrice, verso quella scala campata per aria che nel salirla mi dava le vertigini.

I miei passi incerti mi portarono in una grande aula – l'unica? – che mi inondò di un calore e di una luce eccessivi per l'ora mattutina all'inizio di maggio, il mese che amo di più. E non perché sono nata proprio nei primissimi giorni ma per la stagione con la sua luce vibrante e l'aria tenera, piena di profumo e di speranze. E per gli alberi di lillà dai fiori profumati che rubavo da bambina per donarli a mia madre. Che invece di ringraziarmi mi diceva che avrei fatto meglio a rimediare qualcosa di utile, qualche pezzo di legno per la stufa o magari due uova per impastare gli gnocchi.

Povera anima... lei non sapeva e non avrebbe mai

saputo com'erano belli i fiori e come erano magnifici i loro profumi. Per lei non esisteva ciò che non era commestibile per i figli sempre affamati, né gli alberi senza frutti, né il cielo senza la manna, né l'odore della pioggia che minacciava di filtrare dal tetto malandato. Solo la neve la interessava, perché si poteva raccogliere ed evitare di andare al pozzo per l'acqua, dove l'ebreo era l'ultimo nella fila anche se era arrivato per primo.

Seduta in cattedra, all'interno della piramide nella luce accecante e sotto un sole che batteva dall'alto, la professoressa o direttrice con uno sguardo zittì quella marea di giovani, anche loro surriscaldati, e iniziò a presentarmi.

Per un po' le lasciai commettere qualche errore insignificante, ma la corressi quando confuse Bucarest con Budapest, il che non mi meravigliò affatto: non era la prima volta, ed era sempre meno grave di un preside romano ebreo che in una scuola professionale ebraica mi aveva presentato come scrittrice americana!

I ragazzi visibilmente si divertirono della gaffe della signora professoressa, che si scusò con me e con una giusta intuizione suggerì che mi presentassi io stessa. Ciò che avrei dovuto fare comunque per far capire, da dove venivo e come vivevo, in quale ambiente avevo passato la mia infanzia.

I vetri della piramide, come tanti pannelli solari, stavano trasformando l'aula in una sauna e sembrava mancare l'aria.

Alla ricerca di ossigeno mi voltai verso la professoressa e senza che io dicessi una parola giustificò quel clima irrespirabile dicendo che era stato dimenticato l'isolante contro il calore.

Mi sfilai la giacca e dopo un lungo respiro cominciai a riassumere brevemente la mia infanzia come se non l'avessi mai avuta, o l'avessi persa come mi capitava con la mia stessa vita, che all'improvviso smarrivo come un oggetto poco usato.

Boccheggiante e con il ventre sempre più gonfio, accennai al ghetto, al viaggio nei vagoni piombati... alla selezione... rievocare, rendere credibile il clima dell'arrivo mi pareva un'impresa impossibile – proprio nel mese di maggio –, in quella luce acuta a confronto con la nebbiosa oscurità di quel luogo e il freddo invernale. I ragazzi, con qualche segno di insofferenza o per il caldo o per ciò che stavo dicendo, ascoltavano buoni buoni con espressioni atone.

Su qualche banco scorgevo il mio primo libro autobiografico *Chi ti ama così*. Convinta che lo avessero già letto, cercai di associare, con la dovuta distinzione, il passato al presente, alle guerre fraticide, religiose o etniche in atto, più vicine a loro del nazifascismo, che poteva sembrare ai ragazzi appartenere a un altro mondo. Accennai ai nuovi razzismi, alle nuove vittime, ma tutto li lasciava freddi, estranei. E quell'indifferenza muta, come altre volte creava un vero e proprio muro tra me e loro. Un muro che dovevo demolire per smuoverli con qualcosa che potevano sentire, capire.

Gli parlai della fame che ci riduceva a bestie, della neve con gli zoccoli di legno sui piedi congelati, della paura di morire da un momento all'altro per niente, un gesto per rubare una rapa, una buccia marcia di patata, per non stare sull'attenti nella fila...

Nutriti, vestiti com'erano, parevano protetti anche dalle sofferenze che stavo elencando. Forse, come tanti altri giovani, non temevano neppure la morte? Non conoscevano il valore della vita, che sfidavano magari in moto, in macchina, con la droga, o semplicemente giocandosela.

Solo nelle primissime file sotto il mio sguardo sembravano più attenti, giù in fondo rumoreggiavano, probabilmente anche a causa dell'ambiente davvero soffocante.

Decisi di terminare il mio intervento in anticipo, anche perché avevo i piedi gonfi, indolenziti nelle scarpe chiuse.

La professoressa mi ringraziò per tutte le cose che avevo detto, anche se, mi rassicurava, i suoi ragazzi si erano preparati andando a vedere il film del regista... quello che aveva fatto *E.T.*!

«Quel film» precisai, «è *un* film sull'olocausto, non è *il* film sull'olocausto.»

«Allora non era così?» si meravigliarono.

«Anche molto, molto peggio. Spielberg, il registra americano» ebreo, mi corressero loro, «aveva raccontato la storia di Schindler e dei suoi ebrei salvati. Non i lager con milioni e milioni di morti. Schindler non rappresentava che se stesso e la sua storia nella storia» conclusi, aggiungendo che il comandante del campo di Plaszow, il sadico Amos Goeth, al contrario di Schindler, era simile a tanti altri aguzzini che facevano il tirassegno sui deportati per puro divertimento. Spiegai, dal mio punto di vista, che il caso di Oskar Schindler era qualcosa di singolare. E i due protagonisti erano le due facce della stessa medaglia, l'uomo e il labile confine in lui tra il bene e il male.

I ragazzi volevano sapere se mi piacevano gli attori e io avevo risposto che la loro bravura e il loro fascino quasi oscuravano la storia stessa.

«Lei non ha mai incontrato uno come Schindler?» chiesero, come fosse stato facile incontrarne uno.

«Certo che no» risposi, «ma può anche darsi che avrei potuto incontrare un mio Schindler se fossi stata a Budapest, quando un signore di Padova di nome Perlasca, spacciandosi per un diplomatico spagnolo di Franco, aveva salvato cinquemila ebrei ungheresi da morte sicura. Ma purtroppo su di lui e le sue gesta incredibili nessuno aveva fatto ancora un film di grande successo, quindi non esisteva.

«Allora... le è piaciuto il film?» gli premeva sapere più di ogni altra cosa, convinti che quel film fosse il film sull'olocausto.

Non solo per quei giovani, ma per molti un caso isolato, o addirittura quanto accadeva nel film di Benigni erano la Verità, e non semplicemente un episodio nel ghetto di Cracovia o una favola tragicomica, indipendentemente dagli stessi autori e dalle loro intenzioni. La gente aveva bisogno di simboli rappresentativi vivibili e sopportabili. Il bel narciso nazista, furbo e donnaiolo ma in fondo buono, piaceva. Benigni ancora di più, anche agli stessi ebrei.

«Ho finito, chiuso. Sono libera» esclamai non appena presi posto nella macchina dell'amica Nina, che si mise a scrutarmi incredula.

«Cara... non parlerai sul serio, vero?»

«Oh sì. Sono svuotata e stanca come se avessi camminato troppo, non testimoniato per mezzo secolo; non riesco più neppure a dare ciò che dovrei ai ragazzi, sembro un robot esangue. Un pupazzo con la batteria un po' scarica e il nastro rovinato dal troppo uso.»

«Io ti ho già promesso ad altre due medie. Qui vicino... solo una ventina di chilometri.»

Avrei voluto dirle che non doveva, non poteva, ma la sua voce soave da siciliana trapiantata al nord non mi diede tregua, continuò dicendo che i giovani della provincia, piena di borghesi bigotti, avevano bisogno di una doccia fredda, con quelle teste troppo calde e vuote.

«Ho bisogno di me...» pensai ad alta voce e stavo per chiederle perché aveva detto in quell'ufficio, all'arrivo, di essere ebrea, vittima anche lei di una inquisizione, quella spagnola! Poteva avere una vaga reminiscenza della sua probabile origine?

«Ti comprendo... oh, come ti capisco» sospirò mentre mi domandavo come poteva dirsi *ebrea* con tanta naturalezza. Quella parola sulla sua bocca non aveva né senso né peso, mentre su quella di mia madre conteneva ogni storia e ogni sofferenza passata e presente. Se le avessi voluto meno bene, le avrei detto che era quasi offensivo buttare lì quella parola, come fosse una qualsiasi. Un po' risentita, dissi tra me e me che era facile per lei, che non aveva vissuto quella parola sulla propria pelle: lei, figlia battezzata dell'aristocrazia siciliana, che aveva studiato nei migliori collegi di suore. Era stata lei a raccontarmelo.

Era un vezzo dirsi ebrea, o un'irrazionale solidarietà nei miei confronti? Pur conoscendola da tempo e sentendomi a casa nella sua casa, con i due figli e un marito amalfitano ricco di umorismo amaro e di onestà politica e umana, non me la sentivo mai di chiederle niente in proposito.

Mentre parcheggiava la macchina maldestramente – e questo assorbiva ogni sua attenzione – rimase in silenzio, ma prima di salire in casa mi fissò dal basso in alto. E in tono quasi infantile disse che non potevo dirle di no. Mi aveva già «venduto», ero molto richiesta.

«Ti prego... sto male» risposi, sentendomi ancora peggio.

«Approfittiamo... sei già qui. Solo due scuole» insistette e io cominciai a tremare di freddo dopo il grande caldo.

«Chiamiamo un medico?! Vuoi?»

«No Nina. L'aeroporto. Devo tornare a casa, a casa» ripetevo battendo i denti e respirando male, uno stato che conoscevo troppo bene per non preoccuparmene.

«Non stare così. Guardami... sono d'accordo. Ti procurerò un posto sul primo volo da Bergamo o da Verona, qui non c'è che il treno. Se mi prometti che tornerai presto.»

«Sì, sì» promisi assalita da un'inquietudine al limite del panico. Inghiottii due compresse antispastiche e cercai di dominare il tremore.

Il tragitto da Brescia a Verona fu un incubo claustrofobico per via dei giganteschi Tir che ci sovrastavano, ci sorpassavano soffocandoci di fumo e polvere costringendoci a chiudere i vetri delle finestre.

Semidistesa sul sedile abbassato, mi pareva che il dolore al ventre cominciasse a diminuire. Anche il freddo interiore mi scuoteva di meno, ma dopo aver saputo che il mio volo era stato cancellato, chiamai il mio medico a Roma, che mi consigliò di rivolgermi al pronto soccorso dell'aeroporto per farmi fare un'iniezione endovenosa.

Il medico dal volto simpatico mi accolse con un vago sorriso, mi venne incontro e prima di tutto mi fece sedere come se temesse che stessi per cadere.

Senza che gli rivolgessi una sola parola all'infuori del saluto, dopo che mi ebbe rivolto uno sguardo, disse che sembravo troppo stanca e stressata. Volle anche sapere da dove venivo, chi ero e cosa facevo a Verona.

Con il fiato corto spiegai che ero stata in giro per le scuole del Bresciano per tre giorni, raccontando agli studenti la mia esperienza nei lager nazisti.

«Ah» era sorpreso, e senza chiedere altro si fissò sulle mie mani che tenevano ventre e stomaco. Non disse neanche all'infermiera presente ciò che doveva fare e l'iniezione era già lì pronta nella siringa.

«Appena a Roma» consigliò mentre l'infermiera stringeva l'elastico emostatico sul mio braccio, «dorma. Riposi. È mai stata da un buon neurologo?»

«Conto di andarci, dovrò andare... me l'hanno già detto.»

«Adesso starà meglio, le passerà tutto» mi rassicurò iniettando piano piano il contenuto della siringa, lasciando che l'infermiera mi mettesse il cerotto.

Lo ringraziai per la sua attenta umana gentilezza e all'uscita m'imbattei in una Nina agitata, in attesa dietro la porta: «Cos'ha detto il medico. Cos'hai?»

«Niente Nina... niente. Che sono stanca, sfinita. Devo riposarmi e soprattutto non andare in giro per le scuole» tentavo di sorridere, di convincerla a tornare a Brescia subito senza aspettare con me il prossimo volo, che non sarebbe partito prima di due o tre ore.

«No, no. Io resto qui con te, è colpa mia se stai male. Avevo insistito troppo che tu venissi, anche se mi avevi detto che non stavi troppo bene. Mi premevano di più gli appuntamenti già fissati nelle scuole che la tua salute. Mi potrai mai perdonare?»

«Ti voglio bene.»

«Allora tornerai? Ti aspettano tutti, c'è un grande bisogno di te in giro.»

«Di me o di quello che rappresento?»

«Non è la stessa cosa?» disse con il solito candore, guardandomi con i suoi grandi occhi dall'espressione innocente, meravigliata.

Sull'aereo, più stordita del solito, mi venne un dubbio ansioso; non avrò dimenticato qualche impegno? Cercai nella borsa l'agenda con i bigliettini gialli incollati sulla copertina nera. Senza nemmeno estrarla del tutto vi gettai un'occhiata, constatando con sollievo che i bigliettini erano spariti, buttati via dopo ogni incontro; ma i dubbi restavano. Mi misi a frugare all'interno di quel bazar, pieno soprattutto di medicine, e ritrovai il blocco con gli appunti numerati sui vari argomenti e mai estratti durante i miei interventi, sostituiti da una memoria così viva come se fossi appena uscita da Auschwitz. Stavo per strapparli tutti, tanto non mi sarebbero più serviti, ma come per un congedo frettoloso li percorsi numero per numero:

1) La mia origine, l'ambiente, la vita, i genitori,

le speranze, i pregiudizi vecchi e nuovi. Le leggi razziali. L'ignoranza, la sofferenza, l'autorità...

2) Inizio aprile 1944, l'alba più oscura che abbia mai visto, quando i gendarmi dopo aver quasi buttato giù la porta ci cacciarono dalla nostra povera casa. La mia reazione e quella dei vicini. I compagni di scuola e di giochi, crudeli negli ultimi tempi. Il raggruppamento di tutti gli ebrei nella Sinagoga, il viaggio sui carri tirati da buoi verso la stazione del paese, sorvegliati dai gendarmi a cavallo, paesani inermi che si segnavano con la croce.

3) Il ghetto del capoluogo. Il viaggio – verso dove? – Nei vagoni bestiame. L'arrivo ad Auschwitz. La selezione. I tedeschi. L'impatto con l'inferno. Gli altri lager...

4) La liberazione. Il ritorno a casa. L'accoglienza. Il nulla. L'incredulità generale. Il silenzio, il tabù sull'argomento lager, l'impossibile inserimento. La svolta nell'esistenza.

5) L'inutilità dei sei milioni di ebrei trucidati e degli altri per ragioni diverse...

6) Le guerre nel dopoguerra.

7) Auschwitz oggi per il mondo, per i giovani. Cosa sanno? Perché non sanno? Di chi è la colpa?

8) I nuovi razzismi, pregiudizi, antisemitismi.

9) Il sopravvissuto: È il frutto della selezione. Frutto diverso per sé e per gli altri. Frutto ferito, malato inguaribile? Delegato e condannato a testimoniare...

10) ... Niente.

Basta. Basta! dissi fra me e me, facendo a pezzi gli appunti e pensando che tutto ciò era insopportabile. Non sapendo dove buttare quei pezzi di carta che erano la mia vita, li rimisi nella borsa e ritraendo la mano constatai con spavento che vi era incollato un altro cartoncino giallo con su scritto: 22 e 23 maggio a Bologna e Pieve di Cento.

Se avessi mai potuto avrei bestemmiato. Ma non mi restava che consolarmi, convincermi che avevo davanti più di dieci giorni per ristabilirmi, per mantenere i due ultimi impegni.

A Roma con lo spavento mio e di chi mi sta vicino, finii nella clinica di sempre, ormai familiare.

Ricominciarono le fleboclisi e i nuovi esami, senza esito rilevante, a parte il colon impazzito e l'abbondante diverticolosi intestinale. Come ogni volta dopo due o tre giorni potei ritornare a casa. Ma al contrario del solito, pur essendo felice, sentivo che qualcosa non funzionava. In strada mi prendevano degli smarrimenti, delle insicurezze fisiche e i piedi erano troppo incerti sul terreno.

Avevo perso anche quel benessere e quel senso di protezione che mi rasserenava da sempre non appena entravo in casa, da qualsiasi luogo tornassi.

Pur non volendo parlarne a nessuno, l'inquietudine interiore mi stava procurando una sorta di panico. Se ero seduta temevo di non potermi più alzare, se camminavo di non potermi più fermare. Se dormivo, con l'aiuto dei sonniferi, credevo di non potermi più risvegliare. Stavo così male nella mia pelle che avrei voluto strapparmela di dosso. Il corpo era tutto indolenzito e l'unico pensiero che non sfuggiva alla mia mente era quello della morte.

La solitudine, restare sola a casa mi terrorizzava. Per scacciare, allontanare pensieri e malesseri, mi elencavo tutte le cose belle che finora avevo amato e di cui avevo goduto giorno per giorno, anno dopo anno, e che avrebbero comunque dato un senso alla mia vita anche se non avessi più potuto testimoniare. L'immutata gioia di contemplare il volto di mio marito che dopo quarant'anni era diventato uno specchio in cui mi vedevo anch'io. Mangiare il buon pane italiano che mi piaceva tanto, riempire la casa di fiori che amavo guardare, giocare infantilmente e prendere meno sul serio il mondo. Vivere per vivere. O meglio imparare a vivere. E perché no? Cantare, mi piaceva tanto, cucinare e scrivere, unica libertà vera.

Presa com'ero dalla mia salute psicofisica quando mi giunse la telefonata a ricordare gli ultimi impegni rimasti, per tutta risposta, invece di dire l'ora di arrivo del mio treno, scoppiai a piangere come una bambina spaventata per qualcosa che deve fare e non può fare. L'interlocutrice, esterrefatta, delusa, pur facendomi sentire in colpa non poteva che consolarmi e augurarmi di stare bene al più presto.

Un medico scrupoloso, umano più di altri, che avevo conosciuto durante il mio ultimo ricovero mi prescrisse una nuova cura gastroenterologica e mantenendo la promessa mi seguiva con dolcezza per telefono, o veniva a trovarmi se lo riteneva necessario.

Accennò anche lui a una visita neurologica e rise quando gli dissi che in passato avevo già visto un neurologo per diciassette minuti dopo due ore di attesa: una visita di tipo militare e due psicofarmaci buttati via perché mi avevano procurato degli incubi terrificanti.

Mi pareva di stare appena meglio quando ricevetti una seconda telefonata da Trieste; una voce soave mi pregava di intervenire a una serata presso la Biblioteca Comunale o in Comune, per parlare di me, ossia della mia esperienza dietro il filo spinato.

«Non posso, non posso morire» salì da sé il mio tono. «Sto male!»

«Oh... mi dispiace» disse la sconosciuta stupita, imbarazzata e sempre più dolce, come se stesse parlando con un pazzo; mi chiese scusa, mi augurò anche lei di guarire e rinnovò l'invito per quando avrei voluto io. Spiegai che stavo attraversando un brutto periodo, probabilmente non sarei andata più da nessuna parte.

«Ma che dice?» dispiaciuta per me e per sé, avendomi già promesso anche in un liceo cittadino. Le lasciai uno spiraglio di speranza e ci salutammo con calda simpatia, per risentirci magari dopo le vacanze estive, quando sarei stata meglio. Con la riapertura delle scuole...

Dire no senza piangere o gridare mi preoccupava e non poco. Avrei voluto difendermi con calma, rivendicare il mio diritto di esistere senza l'eterno dovere di testimoniare, ma i miei no, anche se detti male, non pareva bastassero per abortire Auschwitz. Intento che giorno dopo giorno pareva più difficile dopo oltre mezzo secolo di gravidanza cattiva, di convivenza forzata. Forse avrei avuto bisogno di un aiuto esterno, di qualcosa che mi tranquillizzasse e mi assolvesse dalla colpa che a ogni mio rifiuto aumentava. Né le medicine placavano il mio malessere. Soprattutto con l'arrivo del grande caldo.

La collina – dicevano – ti farebbe bene; la montagna; un bel viaggio che hai sempre desiderato! Ma ero incapace di muovermi, di desiderare altro che stare meglio.

Un appoggio psicoterapeutico, suggerivano a mezza voce. Un buon neurologo mi consigliava il mio medico, anzi mi fissò un appuntamento.

Il neurologo, alto, robusto, cortese, sempre sorridente, mi accolse quasi con le braccia aperte e senza mai smettere di sorridere. Mi indicò la sedia di fronte alla sua, nello studio di un ospedale nuovo, lindo ed efficiente come un grande albergo, dai marmi lucidi, dall'aria troppo gelida in confronto all'esterno afoso e inquinato.

Chiese nome, cognome e l'età, con serena ilarità, al contrario di me, ansiosa, seria e tesa.

«Malattie?»

«Oh, niente di particolare, due operazioni, male alla testa, alla pancia, alle ossa, insonnia e...»

«Malattie dei suoi genitori?»

«Non so... non vivono più»

«Di che malattia sono morti?»

«Non erano malati...» dissi così piano che non dovette sentirmi; con il costante sorriso, scarabocchiando su un foglio senza guardarlo, continuò a fissarmi e a interrogarmi sui miei genitori.

«Reni? Polmoni? Cancro, cuore?»

«Mio fratello ha problemi di cuore» mi venne in mente, «anche mia sorella.»

«I suoi genitori, signora...»

«Sono morti durante la seconda guerra mondiale.»

«Di che?»

«Noi siamo ebrei, deportati nei lager nazisti...»

«E di cosa sono morti?» mi guardava sempre sorridente, e io sempre più tesa.

Possibile che non sapesse niente e che continuasse a tormentarmi, mi chiesi, e rabbrividii per il freddo, dentro e fuori.

«Mio padre...»

«Ah, che malattia aveva, ricorda ora?»

«Nessuna. È morto di fame.»

«E la mamma?»

«Bruciata» buttai lì convinta di colpirlo ma non batté ciglio né cambiò espressione.

«E lei di che cosa è stata operata?»

«Occlusione intestinale.»

«Causata da che?»

«Non so... forse aderenze della precedente operazione.»

«Ah...» pronunciò con il sorriso fisso e lo sguardo benevolo.

Ma quando mi visiterà, mi chiedevo, e lui continuava a interrogarmi sulle malattie familiari, dei miei genitori, di quando ero bambina, se ne ricordavo qualcuna. Di cosa avevo sentito lamentarsi mia madre e mio padre?

«La mamma... dolori di testa, sì, sicuro, e papà di dolori reumatici e mal di denti...» parlavo con grande difficoltà, come se avessero commesso dei delitti e fossi costretta a testimoniare di fronte a un inquisitore.

«E anche lei soffre di reumatismi?»

«Sì tanto» lo guardai quasi con sfida e mi sforzai di non piangere sopportando l'ansia che mi rompeva la voce. «Mi visita?» osai chiedere.

«Non, non serve. Non la tocco neppure» mostrò le grandi mani aperte come chi si arrende a metà e continuò a sorridere.

«Lei è depressa, si vede» diagnosticò senza sfiorarmi, e io tacqui al suo interrogatorio gaio che era un tormento, tanto avrebbe continuato a sorridere come prima, forse per autodifesa dai malati, o per sdrammatizzare i loro problemi, per rallegrarli.

Come se intuisse e leggesse nei miei pensieri, si mise a raccontarmi una barzelletta sugli psichiatri e neurologi come lui: «Un malato si lamenta di avere addosso degli insetti e mentre parla cerca di togliersi con dei gesti, via, via... e il medico dall'altra parte lo rimprovera di buttarglieli addosso e comincia a cacciarli via anche lui» concluse ridendo, e risi anch'io. Infine mi consigliò di prendermi un cane o un gatto. Di andare a giocare a tennis, a cavalcare o giocare a carte. Uscire nel mondo, incontrare gente, aggregarmi a un'associazione cattolica di volontariato. Insisteva con le associazioni cattoliche e mi prescrisse un solo antidepressivo in dose lieve che secondo lui avrebbe fatto passare ogni mio dolore.

Più che mai scettica lo salutai mentre m'incoraggiava con le associazioni cattoliche, aggiungendo di chiamarlo a casa quando volevo dopo le nove di sera.

«Cosa pensa di una terapia di appoggio?» chiesi uscendo.

«Ah, la psicanalisi» rise, «per carità...»

«Non l'analisi, un piccolo aiuto...»

«Esca, vada a nuotare, vada in collina, si diverta e mi chiami, eh?» mi sollecitò con un ultimo sorriso, «ah... la medicina che le ho prescritto le farà effetto solo tra un paio di settimane.»

«Allora?» chiesero mio marito e un amico che mi attendevano fuori.

«Credo che mi abbia preso per una signora borghese annoiata.»

«Ma gli avevi detto di te... ciò che hai vissuto?»

«Qualcosa, ma non sembrava ascoltarmi, sorrideva, sorrideva sempre.»

«Devono sorridere» disse mio marito, voleva sapere della visita, che non c'era stata, e della diagnosi: depressione!

«Tutto qua?» si meravigliò. Solo allora mi venne in mente che mi aveva anche detto che ero una signora piena di vitalità e che dimostravo molto meno della mia età, che ero forte, piena di cose da dare.

«È vero, tu rinasci dopo ogni crisi come la Fenice dalle ceneri, sei qualcosa che nessuno ha mai visto, tanto meno i medici; cosa vuoi che capiscano di una come te? Per di più straniera ed ebrea» rise pure lui, come il neurologo psichiatra, per allontanare i miei fantasmi. «Sei bravissima. Hai rinunciato, hai detto di no già a due impegni. Hai scritto un libro diverso... Stai facendo dei passi da gigante. Crolli e ti rialzi, la base è sana, solida, vedrai che ne esci del tutto. Sono fiducioso. Ti conosco... Sei una costante sorpresa anche per me.»

Prima che chiudessero le scuole per le vacanze estive mi chiamò una professoressa da un liceo romano dove ero già stata. Mi pregò proprio nel nome di una profuga dall'ex Jugoslavia, una ragazza di sedici anni che abitava dalle suore della Pia Casa di Carità, di incontrare almeno lei, se non volevo tornare da tutti i suoi allievi.

Potevo dire di no senza sentirmi peggio che mai? E come avrei fatto a negare un appuntamento con una universitaria di Napoli che stava preparando una tesi sui miei libri? O con un'ungherese che mi aveva avvisato per telefono del suo arrivo per lo stesso motivo? Che via d'uscita c'era da questo girone, che mi dava anche molto? Questa strada cieca, murata, senza la possibilità di oltrepassarla.

Le giovani laureande e la studentessa dell'ex Jugoslavia mi interrogarono con intimidita ammirazione, come se fossero di fronte a una reliquia, un monumento umano che parla e parla fino a perdere la voce, ma non riesce ad avere un'attenzione paziente né risposte precise, come se dettasse un documento che non può contenere il minimo errore.

Terminati gli incontri, decisi l'ultima carta: cercare una terapia d'appoggio; per l'analisi era troppo tardi.

Alla prima seduta riassunsi i malesseri e i miei problemi in fretta e furia. Sapevo che il mio tempo non poteva superare i cinquanta minuti. L'analista, alta e magra – avevo voluto una donna –, dai capelli lisci e lo sguardo inquieto, aveva pronunciato due o tre frasi brevi, appena udibili. Ci lasciammo fissando un secondo appuntamento, al quale arrivai con parecchio anticipo come al primo, e attesi camminando su e giù al mercato di Campo dei Fiori, che rappresentava per me uno spettacolo ricco e colorato che amavo particolarmente.

«Cosa ha pensato in questi giorni?» chiese la psicanalista, molto curata nel vestire, nell'insieme delle tinte, dalle scarpe grandi agli orecchini di corallo, e l'aria vagamente dura, seria, più affascinante che bella.

«Che devo stare bene senza dover prendere psicofarmaci, con le mie sole forze, come sempre, e il suo appoggio; per una volta posso chiedere aiuto anch'io, no?»

«E lei pensa che io possa aiutarla? È sicura? E perché è contro gli psicofarmaci?» si ritraeva sempre più sulla poltroncina.

«Non sono contro, ma preferirei stare meglio senza.»

«Lavora in questo periodo? Riesce?»

«Oh, sì... sto scrivendo un libro sul peso della testimonianza e della gabbia del mio vissuto, della fatica e del senso di colpa che mi procura. Una sorta di congedo... dire di no costa quasi quanto il sì e dal no non nasce niente di utile. Fuggire dalla testimonianza nella malattia non è ammissibile, è una sconfitta doppia. Devo poter dire sì o no da persona sana, tranquilla, serena. E non lo sono...»

«Ed è convinta di avere bisogno di me? O è qui perché le ha consigliato di venire da me una sua amica?»

«Non so se è proprio di lei che ho bisogno, ma di un appoggio sì.»

«Vuole un altro appuntamento?»

«Sì.»

«Martedì prossimo?»

«Martedì non posso, ho la fisioterapia... mi dispiace. Lunedì?»

«Non posso io. Ma sentiamoci per telefono. Se riesco ci rivediamo prima, altrimenti tra dieci giorni; ma ci risentiamo, è meglio.»

Il lunedì seguente la chiamai e mi chiese di nuovo se volevo davvero un altro appuntamento. Le dissi di sì, anche se non ero più certa, perché non lo era lei. Ci vedemmo una terza volta e volle sapere subito che cosa avevo pensato in quei giorni. Le dissi di avere l'impressione che lei non fosse convinta del mio bisogno di aiuto, non mi voleva.

«È proprio così» rispose. «Lei ha il dono della parola. Scrive. Si esprime, lei è una scienziata dei propri problemi. O cerca in me un testimone al suo non voler più testimoniare?» le venne in mente. «La sua separazione da Auschwitz, il suo vissuto non può toglierglielo nessuno, né voglio entrare in particolari dolorosi della sua vita, tentando una sorta di analisi che lei chiama terapia di appoggio; ma se ha bisogno di me io sono qui. Se c'è un nodo che lei non è in grado di elaborare e di risolvere e ha bisogno di parlarne con qualcuno, troverò sempre tempo per ascoltarla. Mi interessa molto ciò che sta scrivendo, io mi occupo di separazioni e incontro gente che non è in grado di dire una parola. Lei è un vulcano, se crede che io mi sbagli, al primo angolo torni indietro, io sono qui.»

La lasciai quasi con gratitudine. Apprezzavo la sua onestà e me ne tornai a casa con due frasi nella mente: «Nessuno può toglierle il suo vissuto» e «È un testimone che lei cerca in me.» I suoi occhi grandi si erano oscurati quando le stavo parlando di mia madre e mio padre e della loro fine; si era rattrappita nella poltrona ascoltandomi e non sapeva più dove mettere le gambe e le braccia troppo lunghe. Era spaventata? Impreparata come tanti, quasi tutti gli analisti, ad affrontare quell'evento e le conseguenze sui sopravvissuti? Temeva per la propria salute psichica, come se Auschwitz fosse un virus contagioso? Comunque fosse, io la pensai con calore, mentre lei non osava, o non doveva, mostrare alcun sentimento. Sembrava una donna sola, probabilmente non molto felice, chissà. Mi sarebbe piaciuto sapere e pensavo che gli analisti in generale, invece di ascoltare il monologo dei propri pazienti, dovrebbero dialogare in una reciprocità aperta, che permettesse una maggiore vicinanza e penetrazione.

Nonostante l'avessi vista solo tre volte, ritenevo utili quei centocinquanta minuti e quelle due frasi incise nella memoria, ripetute e formulate con parole diverse: «Nessuno potrà toglierle Auschwitz; cerca un testimone perché vuole abbandonare la testimonianza?»

La prima frase era lapidaria, definitiva. La seconda interrogativa e a quella non seppi rispondere, né a lei né a me stessa. Può essere che volessi l'assoluzione per il peccato che stavo per commettere?

«Non so...» le avevo risposto, «può anche darsi...» Riflettevo anche dopo, ripetendomi la domanda infinite volte, senza trovare né la soluzione né l'assoluzione.

Verso la chiusura delle scuole mi piovvero addosso alcuni inviti ravvicinati, e pur riuscendo a rispondere di no e con calma, forse per l'effetto della medicina, rimasi scontenta, delusa di me. Immaginare che in futuro sarebbe stato sempre così mi spaventava. Come non fossi più niente, né quello che ero né quello che credevo di diventare, sana, libera, appena avessi smesso con la testimonianza. Invece galleggiavo nel vuoto più totale. Vegetavo senza dolori né sofferenze, senza rabbie né passioni e non mi riconoscevo più.

Il silenzio tanto invocato mi pareva che fosse dimenticanza di me e di Auschwitz e mi risultava più insopportabile che viaggiare per raccontare. Sembrava che la vita si fosse fermata, finita. A richiamarmi al mio io fu la telefonata di un caro amico, il quale già sapeva che stavo per abbandonare il ruolo di testimone. Da due anni lottavo fra il sì e il no. Scusandosi più volte, mi pregava di andare a Milano per parlare unicamente delle mie poesie e leggerle presso un'associazione culturale dove lui era iscritto. E che altro erano la maggior parte dei miei versi se non quell'esperienza? Non potendo dire di no proprio a un amico acconsentii a mezza voce, lasciando però sospesa la data, come fosse stata una via di uscita, o anche di entrata.

Avevo un vecchio impegno anche con la preside della scuola ebraica di Roma e, sapendo della mia presenza, Anna, la maestra della prima e della seconda elementare – una donna cara e dolce che conoscevo da anni – volle che entrassi nella sua classe per salutare i bambini, e magari, poi, tornare a parlargli dopo le vacanze estive.

«Bambini...» attirò la loro attenzione sulla mia figura. «È venuta a trovarci una persona importante, che scrive e verrà a leggervi a settembre... qualche sua poesia e dei racconti che potrete commentare dopo...»

I bambini volsero gli occhi nella mia direzione. Una bimbetta bionda si avvicinò alla maestra al mio fianco e dopo avermi squadrata da capo a piedi, le disse piano, ma non abbastanza, che io non le sembravo per niente una persona importante. Sia io che lei scoppiammo a ridere.

«Non sono troppo piccole per certe cose?» chiesi piano a mia volta ad Anna.

«No... no, loro sanno tutto» mi rispose ad alta

voce e mi dispiacque che bambini così piccoli sapessero già di così grandi orrori; a ben guardarli c'era qualcosa di troppo serio nei loro occhi.

Al ritorno dalla scuola, dove dovetti promettere di tornare un giorno, mi attendeva una lettera della giovanissima profuga della ex Jugoslavia che avevo incontrato da poco. E mi era piaciuto molto il suo viso tondo e rosso per l'emozione, gli occhi di un azzurro puro dallo sguardo profondo. La sua delicatezza e la sofferta timidezza nel chiedermi di parlarle di «quelle» esperienze, come se le sue non contassero di fronte alle mie. Si chiamava Maria. La piccola Maria che abitava dalle suore e che per qualche verso mi era così familiare che l'avrei desiderata come figlia, se mai ne avessi avuta una. Da adottare, se avessi avuto l'età. Mentre salivo le scale a piedi aprii la sua lettera:

Cara Signora Edith,

Ho deciso di scriverle perché il giorno in cui l'ho conosciuta è stato uno dei più importanti della mia vita.

Avrei voluto dirle molto di più in quel giorno e porle molte domande, ma ero talmente commossa che quasi quasi non riuscivo a parlare. Conoscerla è stato veramente scoprire che non ci sono parole per definire l'incubo che ha subito ad Auschwitz. Ma è proprio quello che immaginavo, sapendo che non avrei mai potuto raccontare la vostra esperienza senza la vostra testimonianza. Mi sono chiesta tante volte chi sarà dopo di voi a tramandare la più grande strage di massa, il fanatismo nazista, l'odio verso gli innocenti, i bambini, le donne e gli uomini.

Chi sarà a ricordare quello che voi non avete mai

potuto dimenticare? So che viviamo nell'ignoranza e che i giovani non vogliono sapere, e addirittura negano l'esistenza dei campi di concentramento ed è difficile persuaderli; io ho cercato di raccontare ai miei compagni la storia dei campi, la storia di popoli interi trasformati in cenere, la vostra storia che potrebbe diventare il nostro futuro.

... Nessuna preghiera del mondo potrà mai riparare quello che vi è stato fatto.

... Attraverso i Suoi libri posso conoscere meglio la Sua vita e Lei stessa, anche se sapere è molto doloroso e toglie il sorriso dalle labbra, tutta la gioia, l'illusione di un mondo migliore.

La ringrazio soprattutto della disponibilità che ha avuto per me e spero di poterla rivedere, ci tengo moltissimo perché le persone come Lei non ci sono più, o comunque ne sono rimaste pochissime.

Con grande affetto
Maria

A Maria, a Laura, ai fratelli e sorelle ungheresi, a tutti i giovani e a me dovevo questa risposta. La mia tranquillità artificiale amorfa mi aveva fatto capire che la tentazione continua negli ultimi anni di smettere con la testimonianza era la causa stessa del mio lungo travaglio, madre di questa particolare confessione scritta. Ora so che era una guerra persa in partenza. Accetto di ricominciare. Dire che sono qui per chi bussa alla mia porta, alla mia memoria, per partecipare al mio Auschwitz, sposo, mostro fedele che non ammette né separazione né divorzio né silenzio; convivente invisibile, indivisibile Dio del male. Il rovescio del vostro bene che è conforto per il mio cuore che vi dice grazie. Come vi avevo detto di quel tedesco che voleva sapere il mio nome, e di quell'altro che mi aveva dato i suoi guanti bucati, anche voi che volete sapere siete luci immanenti che non mancano e non possono mancare neanche nel buio più profondo.

Se dalla Shoa risulta che
ogni offesa alla dignità
dell'uomo diviene intollerabile,
è perché la volontà
di sterminare il popolo
testimone ha reso attenti alla
vocazione e alla condizione
di ogni persona umana.

CARDINALE JEAN-MARIE LUSTIGER

Stampato da
La Grafica & Stampa editrice s.r.l., Vicenza
per conto di Marsilio Editori® in Venezia

EDIZIONE

10 9 8 7 6 5 4 3 2 1

ANNO

1999 2000 2001 2002 2003